M·I·L·K

Que la vie est belle !

ÉDITIONS DU CHÊNE

Que la vie est belle !

17 000 photographes venant de 164 pays...

300 images retenues parmi 40 000 reçues.

La collection M.I.L.K. est le résultat d'une formidable épopée, la recherche de 300 photos extraordinaires réalisées aux quatre coins de la planète sur les thèmes de l'amour, de la famille et de l'amitié.

Créée pour la circonstance, M.I.L.K. dont les initiales signifient Moments of Intimacy, Laughter and Kinship – que l'on pourrait traduire littéralement par « Moments d'intimité, de rires et de fraternité » – lance donc un concours photographique planétaire doté de récompenses très attrayantes et présidé par le célèbre photographe Elliott Erwitt. Objectif de ce Prix M.I.L.K. : inciter des artistes du monde entier à participer à « l'événement photographique de notre temps ».

Afin que le plus grand nombre de pays soient représentés, les organisateurs n'ont pas hésité à contacter individuellement des photographes de chacun des 192 pays du globe.

« Pour répondre à nos critères de jugement, explique Geoff Blackwell, directeur du projet, leurs travaux devaient raconter d'authentiques histoires, chargées d'une émotion réelle et spontanée. » Près de 17 000 photographes, issus de 164 pays – ce qui était inespéré – ont participé. Parmi eux, une multitude de lauréats de prix divers (dont pas moins de quatre Pulitzer), des professionnels mais aussi des amateurs de talent originaires des cinq continents. Au total, M.I.L.K. a reçu plus de 40 000 clichés, certains amoureusement empaquetés dans des sacs de toile cousus, d'autres, accompagnés de chaleureux messages d'encouragement : 40 000 inoubliables portraits de la vie et de la condition humaine, de ses premiers instants fragiles à son dernier souffle.

Né d'un rêve, ce projet est devenu une véritable épopée photographique qui a donné naissance à ce livre, émouvants fragments de vie rassemblés, qui paraît en même temps dans de très nombreux pays : États-Unis, Canada, Grande-Bretagne, Italie, Espagne, Australie, Brésil, Hollande, Suisse, Autriche, Irlande du Nord et, bien sûr, Nouvelle-Zélande.

En le feuilletant, sans doute vous reconnaîtrez-vous dans certains portraits. Ces moments vécus par d'autres sont aussi les vôtres, les nôtres. Tolstoï écrivait, à propos de l'art, que les émotions qu'il suscite ne devraient pas être réservées à une élite mais être accessibles au plus grand nombre, un idéal totalement partagé par l'équipe de M.I.L.K. Ces images parlent à chacun d'entre nous dans toute leur clarté, leur universalité et – osons un terme galvaudé – leur joie.

Nous tenons à remercier les hommes et les femmes qui ont contribué à la réalisation de ce projet, transformant une idée en une formidable et inspirante réalité. Merci aux brillants photographes.

Merci à Elliott Erwitt, à Tim Hely Hutchinson, à Ruth Hamilton, directeur du projet MILK et à tous nos brillants collaborateurs.

Merci à toute ma famille et à mes amis pour leur soutien.

Merci à vous qui commencez un voyage à travers ces pages.Tous ces moments intimes, de rire et de fraternité vous appartiennent désormais.

Geoff Blackwell – M.I.L.K.

FAMILLE

JAMES MCBRIDE

Ces pages recèlent vos réflexions, votre histoire, fixées pour l'éternité. Ces images sont le reflet d'un monde qui va disparaître si nous n'agissons pas, le reflet d'un monde que nous nous efforçons d'expédier au loin, comme on jette avec son pied une chaussure à travers la pièce. Elles témoignent aussi de notre plus grande et dernière découverte.

Le monde où nous vivons est au bout de ses découvertes. Nous avons sondé les profondeurs de la planète, marché au fond des océans. Nous nous sommes propulsés dans l'espace, nous avons construit des métropoles là où autrefois régnait la forêt, nous avons inventé le moteur à combustion interne, fabriqué des automobiles, des avions, des trains et des fusées qui marchent à l'essence, à l'énergie solaire, aux algues, au pop-corn et même au soda.Nous avons pillé les grands fleuves et les mers, décimant poissons, algues, micro-organismes et végétation, nous avons enseveli des trésors de vie. Les moindres recoins de la planète, ou peu s'en faut, ont été cartographiés, étiquetés, ont fait l'objet de chroniques, documentaires, discussions, recherches, de pages d'histoire ou de fiction ; ils ont été exploités, pollués, filmés pour Hollywood et sont tombés entre les mains de qui courait après un buck, un yen, qui cherchait la connaissance, sa fierté, sa place dans l'histoire ou, plus encore, la gloire.

Et pourtant, il n'y a pas plus grand miracle que de voir naître un enfant. Il n'y a pas plus grande conquête que d'apprendre à un enfant de six ans la magie de la lecture. Il n'y a pas plus grande force au monde que le souffle chaud d'une grand-mère édentée.

La famille est la dernière et la plus grande découverte, elle est notre dernier miracle.

Triste réalité : nous sommes entrés dans le nouveau millénaire dépourvus de sagesse, avec la même déplorable ignorance qu'à l'avènement du précédent. Des vieillards continuent d'envoyer de jeunes hommes à la mort dans des guerres absurdes ; les pays sont toujours dirigés par des hommes politiques dont le sourire glacial empêche les enfants de dormir, nous inventons toujours plus de moyens de gazer, de fusiller, d'anéantir, de mutiler, de tuer, de nous détruire mutuellement.

Et pourtant, rien de tout cela n'a la force de petits doigts frémissants sur le visage d'un papa assoupi. Aucune bombe ne peut détruire le souvenir de l'odeur suave du sein maternel. Des millions de connexions à Internet ne peuvent reproduire le sourire brèche-dent qui illumine le visage criblé de taches de rousseur de votre petit frère.

La famille est l'ultime rempart de la raison dans un monde où chaque soir 125 millions d'enfants se couchent le ventre vide. Sans elle, nous ne sommes qu'une tribu de nomades, sans attaches, à la dérive, parcourant la Terre sans époque, sans racines ni histoire pour abriter nos âmes déchirées. Nous sommes comme des étrangers dans une discothèque, rassemblés par centaines mais solitaires, dansant comme des sauvages en une affreuse mêlée, puis nous entraînant l'un l'autre dans d'étranges quartiers pour faire l'amour la nuit même, avant de nous rendre compte à la lueur de petit matin que nous l'avons fait avec un inconnu. Nous aspirons tous à la chaleur humaine, mais il semble qu'à l'ère d'Internet-info-immédiate-point-com, nous ne la trouvions pas. Ce n'est pas de notre faute, c'est la technologie qui nous a privés de miracles. Après une vie passée à regarder John Wayne se faire trouer la panse dans le rôle du bon dans le film du dimanche soir, on nous demande de croire que Jésus est mort pour nos péchés, qu'Élie reviendra, que Bouddha est présent dans tout ce qui vit, qu'Allah est Dieu et qu'il vient à nous.La globalisation nous tue, nos âmes et notre histoire sont plagiées par des esprits soucieux de grappiller leur pourcentage, tandis que nos familles, nos tribus et nos cultures disparaissent lentement et en silence.

Quelqu'un m'a dit que, pour mettre fin à toutes les guerres, il faudrait donner des cartes de crédit à nos ennemis. Ils pourraient s'acheter des jeans, des baskets et des tee-shirts imprimés de Tommy Hilfiger. Je ne suis pas d'accord.Selon moi, il faut que les grand-mères de la planète s'emparent de la tribu mondiale et fassent entendre l'équivalent d'un solo de jazz. Donnez huit mesures aux grand-mères de ce monde, et elles n'en feront pas du blues. Parce que chez les Iraquiens comme chez les Iroquois, en Australie comme dans les Andes, les grand-mères n'ont pas le blues. Elles ne veulent pas en entendre parler.

Les photos de ce livre parlent des petits-enfants de chacune de ces grand-mères, mal dégrossis, coriaces, rieurs, les cheveux en batailles, qui font dans leurs couches ou méritent des coups de pied au cul ! Elles vont au-delà de la férocité de promoteurs insensés et de sociétés anonymes qui malmènent notre monde en construisant des maisons préfabriquées sans visage et en défonçant au bulldozer des forêts où l'on trouvait autrefois crasse, sueur, labeur, vie sauvage et traces de pas d'enfants. Elles parlent de ce qui restera toujours : l'amour d'une mère, la fierté d'un grand-père, le rire d'un enfant, le chagrin d'un père. L'amour familial est plus fort que le béton et l'acier. L'amour familial est comme le vent, instinctif, âpre, fragile, beau, parfois furieux, mais rien ne peut l'arrêter. C'est notre souffle commun, la plus grande force au monde.

Fermez les yeux et écoutez. Qu'entendez-vous ? Les battements de votre cœur ? Non, des milliers de coups d'aiguille. Le monde n'est pas un melting-pot, c'est un gigantesque patchwork, d'innombrables pièces minuscules assemblées en une belle mosaïque qui nous protège et nous réchauffe. C'est pourquoi ce livre, plus qu'une collection de travaux d'éminents photographes, est un album de famille où nous trouvons nos proches. Chacun de nous a un vieil oncle grec qui arpente le balcon devant le fatras de son logement, les mains dans le dos, sa cigarette entre les doigts, plongé dans ses méditations sur le gouvernement, le prix des œufs, son copain le plombier, la guerre, le Loto, le prix d'une paire de chaussures, le bon temps. Chacun de nous a deux tantes qui ne s'adressent plus la parole depuis plus de cinquante ans. Qui n'a pas un cousin qui a failli se crever un œil avec une fourchette ou bien une sœur qui lui a piqué son quatre-heures ? Qu'y a-t-il de plus drôle que ces frères musulmans qui s'enguirlandent à propos d'un coup de frein ? Ou que ces deux grand-mères juives se querellant au sujet du jeune marié, qui disent : « Examinons-lui les dents ! » Vous n'avez pas vécu si vous n'avez pas laissé pendre un filet de salive par la fenêtre du quatrième étage avec votre petite sœur, ou mieux encore si vous ne l'avez pas laissé pendre, la petite sœur, par la fenêtre du premier en la tenant par les chevilles. Qu'y a-t-il de plus américain – danois ou italien, comme vous voulez – que les cris, les clameurs, les pleurs, les querelles, les baffes et le troc de friandises entre frères et sœurs français... non, algériens... non nigériens... ou d'eux tous ?

C'est l'absurdité de la vie en famille, sa disparité qui en sont à la fois la rédemption et la véritable noblesse. C'est cette hétérogénéité qui nous unit, et nous ne devons pas la laisser s'échapper. La vie n'est pas parfaite. C'est une expérience disparate, fantasque, où se mêlent emplois du temps effarants, sœurs rapporteuses, frères embêtants, refrains insupportables de vieilles cousines, papas à la mauvaise haleine, mamans qui mangent les restes, vieux grand-pères malodorants qu'une aide-soignante emmène sans enthousiasme à la salle de bains, tantes alcooliques, pièces enfumées, épouses exaspérées, gamins aux poches pleines de bouts de ficelle, cousins rieurs, papas qui ne font que passer, anciens qui meurent à petit feu et chiens qui s'oublient sur le tapis du salon.

Le monde a besoin d'une plus forte dose de cette disparité, il ne faut pas la diminuer. Nous avons besoin de davantage de vieilles Land Rover transportant des familles nomades dans le désert, de bus scolaires avec des chèvres attachées sur le toit, emplis de pères africains qui vont au travail les traits tirés. Nous avons besoin des mains de mamie, de l'urinal de papi, de la brosse à dents de maman, du rire léger de tatie, du blaireau et du coupe-chou d'oncle Ahmed, et de la grand-tante Lisa d'Irlande qui aime par-dessus tout ôter sa perruque et son dentier pour dîner. Nous avons besoin de plus de vieilles Chevrolet où s'entassent trois générations de Cubains et de camping-cars chargés de Turcs – de Gitans, de goys, de hippies, de touristes obèses, de tous ceux-là – qui traversent l'Europe. Sans eux, point de différences. Et sans différences, que sommes-nous ? Des ectoplasmes bien propres, menant des vies fast-food, des existences clonées, portant les mêmes vêtements, conduisant les mêmes voitures, indifférents à tout ce qui nous rend particuliers : notre famille. Notre tribu.

Tout ce qui fait que chacun de nous est unique.

Le tribalisme n'a rien de négatif. Il ne signifie pas la guerre. Il ne signifie pas la séparation. Il ne veut pas dire « le mien est meilleur que le tien ». Il implique que nous écoutions notre invisible tambour commun. Fermez les yeux et posez la main sur votre cœur : au-delà des milliers de coup d'aiguille, vous entendrez vos cœurs battre dans le monde entier. Ils sont un seul et même cœur, un cœur collectif. Nous. Le nôtre. Pas eux, ni le leur. C'est le cœur d'une famille. C'est notre chant. Pourtant, nous ne l'écoutons pas. Mais, quand il s'arrête, que ne donnerions-nous pas pour l'entendre ! Les lamentations d'une famille (page 92, photo de Tamás Ková) autour du cercueil d'un beau petit garçon, les yeux sans vie de celui-ci font souhaiter de tout cœur qu'il se lève en riant et dise : « Papa ! Papa ! C'était pour rire ! », tout en sachant qu'il ne fera pas. Jamais. C'est seulement quand notre cœur se brise que nous l'écoutons. C'est seulement quand la mort est là que nous brûlons d'entendre notre chant le plus sacré et le plus beau, nos battements de cœur collectif. Mais alors, il est trop tard.

Je crois que tous ceux qui sont morts – de faim, de soif, en esclavage, à la guerre, dans l'Holocauste, dans les camps de la mort, lors d'attentats terroristes, de la main de l'homme ou par la volonté de Dieu – ont disparu pour que nous puissions vivre. Je crois que tous les cris de douleur, toutes les larmes que chaque mère a versées sur une tombe en hurlant vers le ciel étaient une clameur adressée aux dieux pour qu'ils aient pitié de nous, ceux qui restent, afin que tous, au sein de nos familles, nous connaissions une vie meilleure et plus clémente. autant la vie en famille est douce et précieuse, autant elle est clémente. C'est horrible quand elle est arrachée par quelqu'un d'autre que Dieu. Nous ne sommes pas qualifiés pour donner la mort. Nous ne sommes que des hommes. Nous ne sommes qu'une famille. Nous ne sommes pas qualifiés pour tuer notre famille. Cela ne doit pas sortir de nous. Cela doit venir d'au-delà.

Dans ces images, vous ne verrez pas seulement l'œuvre d'hommes et de femmes extraordinaires, mais aussi les humbles offrandes d'artistes reconnaissant que nous sommes plus qu'un coup d'épingle dans l'histoire, que Dieu peut faire tenir l'infini sur une tête d'épingle ou bien étirer un moment en une éternité. Des milliers de photographes, fantassins de notre imagination, parcourent la planète tels des nomades et écrivent des histoires à coups de lumière, de vitesse d'obturation, de contenu et d'images. Ils sont notre unité de combat pour l'expression artistique, chacun saisissant sa propre vérité : paparazzi, artistes, journalistes, photographes de mode ou de mariage, autant de devins s'efforçant de capturer ces maîtres de l'illusionnisme et de la transformation que sont les émotions humaines.

Il y avait une raison pour qu'Anne Bayin, photographe à Toronto, décide un beau matin d'embarquer tout son matériel – objectifs, boîtiers et filtres – à bord d'un avion, de se rendre à ses frais à New York photographier la Parade annuelle du printemps. Un jour, son œil exercé a remarqué un vieux mur en plâtre dans un appartement à quelques encablures de sa maison, et elle a vu un nouvel aspect du passé tourmenté de l'Amérique, la terre brûlée du Vietnam. Devant ce mur décrépi, elle a photographié Kim Phunc – la petite fille brûlée au napalm lors du bombardement de son village par les Américains en 1972, terrible image gravée au fer rouge dans la conscience collective du monde entier – tenant dans ses bras son petit garçon âgé d'un an. Cette image est notre rédemption. Notre espoir. La promesse que les plus grandes souffrances peuvent être suivies des plus beaux lendemains. L'amour a apporté ce miracle en nous.

Il y a plusieurs années, dans une bourgade de Nebraska, Agnes Frakes, une jeune maman américaine, montrait à son fils Bill, quatre ans, toutes sortes de choses intéressantes : l'ombre d'un chat, une flaque d'huile sous une voiture, son nom gravé sur un gâteau au pop-corn caramélisé. L'enfant regardait sans rien dire. « Regarde encore, dit-elle. Il y a toujours plus que ce que nous voyons… » Vingt-cinq ans plus tard, le garçon est devenu un des meilleurs photographes sportifs du monde. Sur un pont de Miami Beach, il a photographié un couple insouciant sur son tandem (page 76). Du premier coup. « Je peux voir plus rapidement que les autres, dit Bill. La plupart des bons photographes le font. » Parcourant le Mexique à la recherche de la lumière divine, Hazel Hankin, photographe juive de Brooklyn, l'a trouvée sur le visage de la grand-mère de la page 110 – dans une église catholique, rien de moins. Après avoir participé à une atroce guerre civile en Namibie, un jeune soldat nommé Adriaan Oosthuizen est revenu chez lui dans une Afrique du Sud indifférente et s'est retrouvé exilé, avec ses cheveux longs et son kilt écossais, dans la réserve naturelle de Geacap, à plus de 550 kilomètres du Cap. Là, un appareil reflex à un objectif lui a permis d'explorer son sujet de prédilection, la couleur libérée des chaînes de l'apartheid, tragique héritage de son pays. Le portrait qu'il a réalisé à Londres d'un vieux soldat fringant et de sa fille, orne les pages 86.

Souvent, ces hommes et ces femmes ne peuvent s'expliquer à eux-mêmes, pourquoi ils parcourent le monde avec une boîte contenant un morceau de verre appelé lentille d'où émane un pouvoir invisible. La lentille d'un objectif est pure comme l'air, exempte de préjugés, dépourvue des scories et de l'héritage mental qui nous obscurcissent la vue, et quand ces artistes exécutent leurs switchs visuels sur cet objet simple, ils nous font voir quelque chose de magique. Les photographes sont un peu comme des musiciens de jazz.

Ils sont bien formés et maîtrisent leurs instruments, mais avant de s'avancer pour jouer son solo, aucun musicien de jazz au monde ne pourra dire exactement ce qu'il va jouer. Il n'y a pas de repères. Pas de partition à déchiffrer. Un *jazzman* n'a que son instrument et le désir de vous raconter son histoire.

Les photographes regardent fixement dans un viseur, appuient sur un bouton et donnent un sens au monde. Ce qu'ils nous offrent sont les reflets de tout ce que nous avons su et de tout ce que nous saurons, de notre sagesse la plus profonde, de la valeur de chaque journée, du coût de l'amour, du prix du pain, de la merveilleuse valeur de la joie. Ils nous montrent des noms, des endroits et des gens que nous n'avons jamais connus, que nous ne connaîtrons jamais, mais qui nous serons pourtant familiers. Ils nous nourissent du meilleur et du pire de nous-mêmes. Ils sont parmi les membres les plus importants de notre famille humaine.

Nous quitterons tous cette vie un jour pour nourrir les vers de terre. C'est notre destin ultime. Le vrai gage de notre succès dans cette vie réside non pas dans ce que nous avons donné au monde comme professionnel, mais dans l'amour que nous laisserons dans notre sillage. L'amour est l'acte le plus démocratique que l'on puisse imaginer. C'est le grand facteur d'équilibre. Peu ont l'occasion, la chance ou le talent de devenir un grand cinéaste, architecte, *businessman*, artiste ou professeur. Mais n'importe qui, avec le courage d'aimer, peut gagner le privilège de s'asseoir sur un banc dans un parc auprès d'un enfant – une petite fille, un fils adopté – et lui caresser la main en lui disant, « Tu es la meilleure chose qui me soit jamais arrivé ». C'est l'ultime gage de la grandeur, l'épreuve de la liberté, l'acte de rebellion ultime. Cette sorte d'amour-là, l'amour familial, nous rend invincibles. Avez-vous été assez sage, assez généreux, assez fort, assez humble, assez chanceux, assez patient pour avoir aimé ? Que votre amour, comme ces photographies, soit éternel.

JAMES MCBRIDE SOUTH NYACK, NY

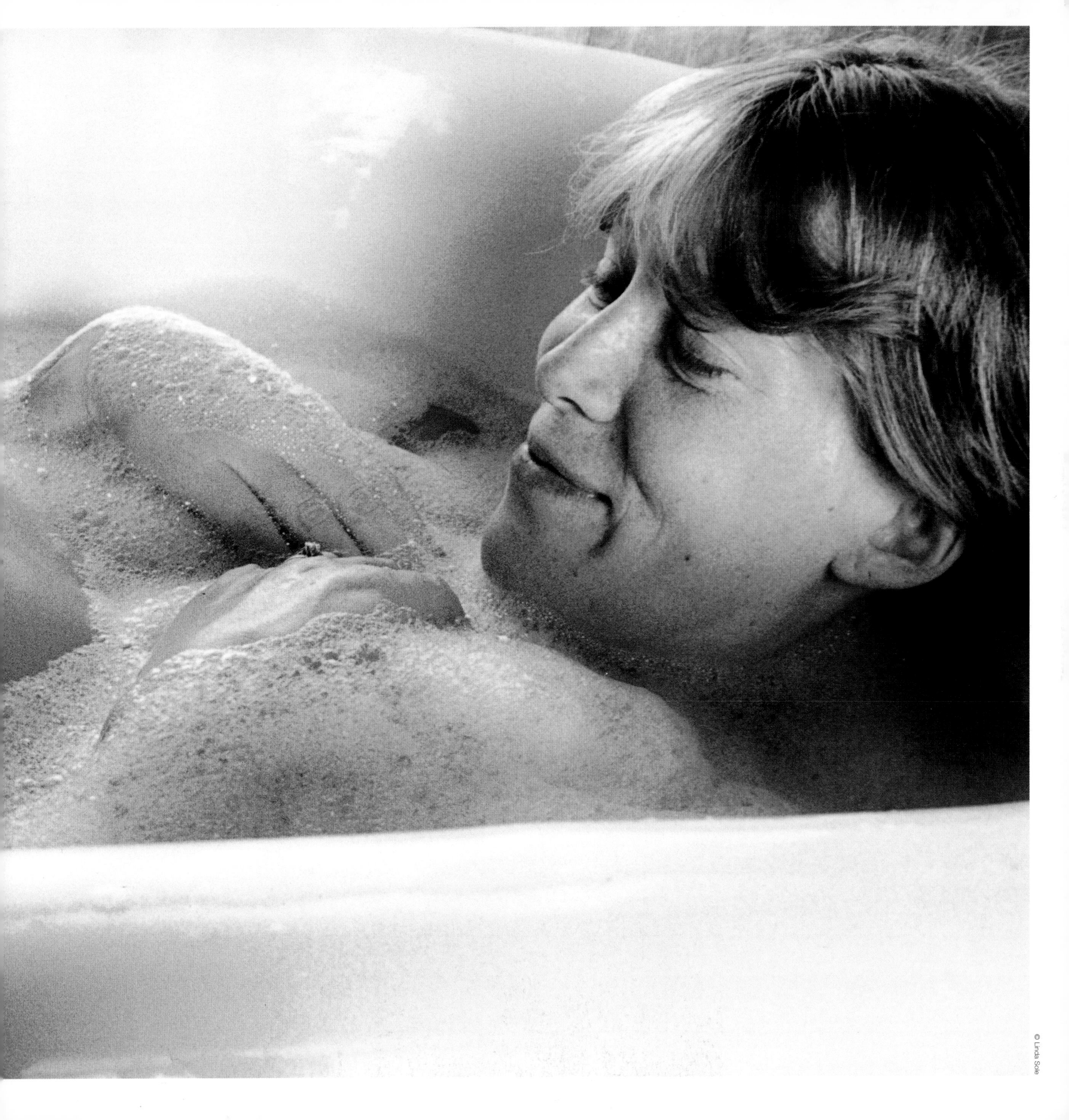

Lorsque l'enfant paraît, le cercle de famille
applaudit à grands cris.

[VICTOR HUGO]

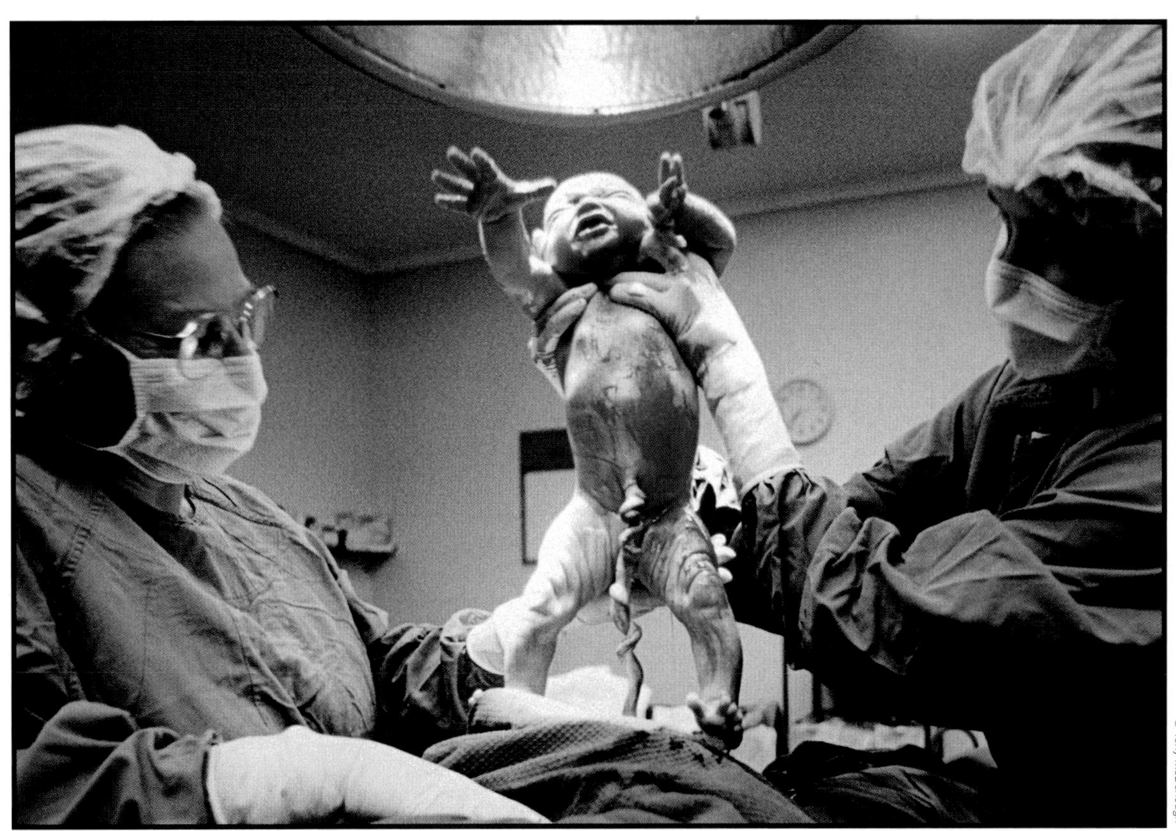

© Tony McDonough

Rien ne vaut une douce mère.

[LÉON TOLSTOÏ]

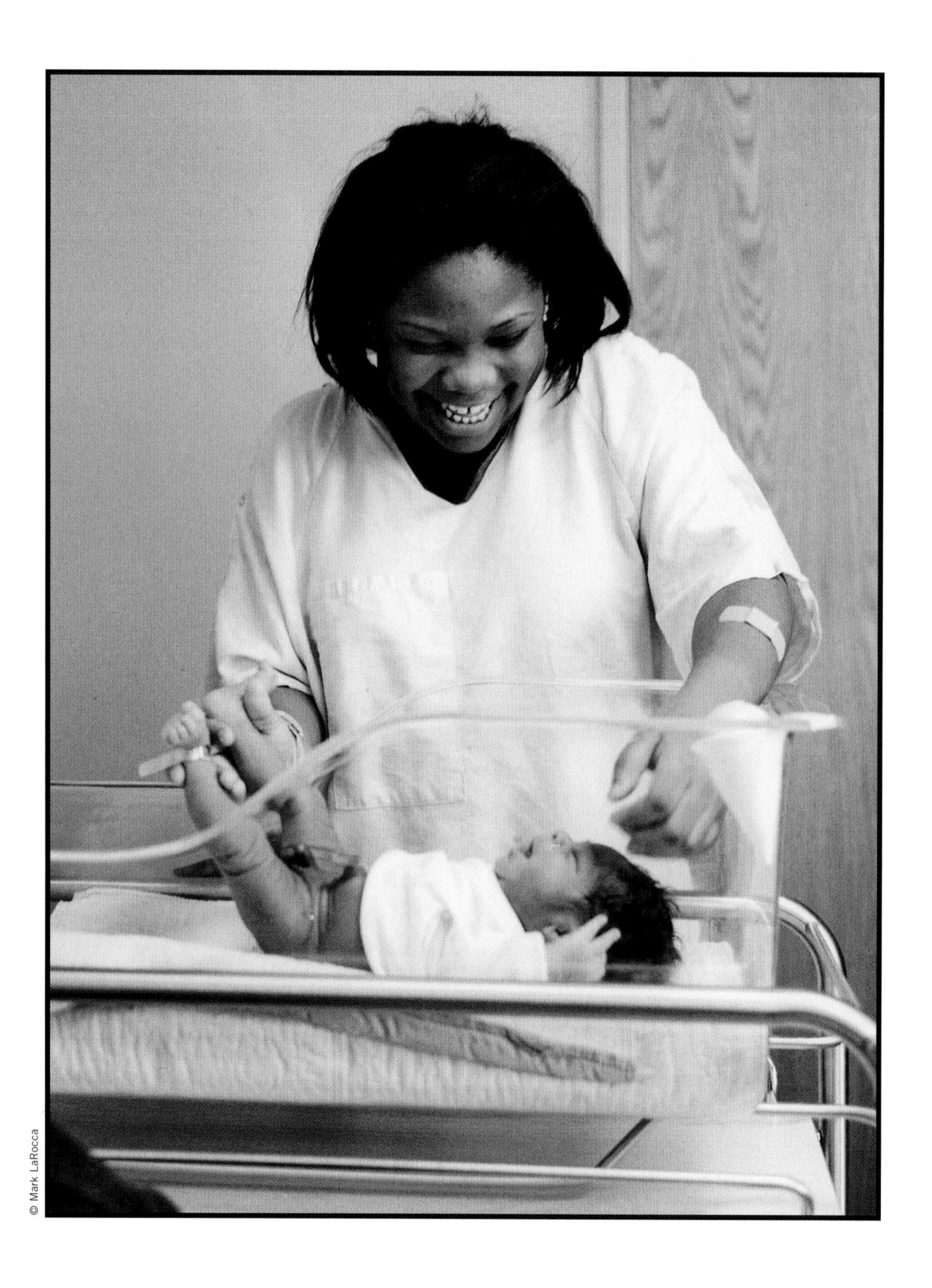

© Mark LaRocca

© Gerald Botha

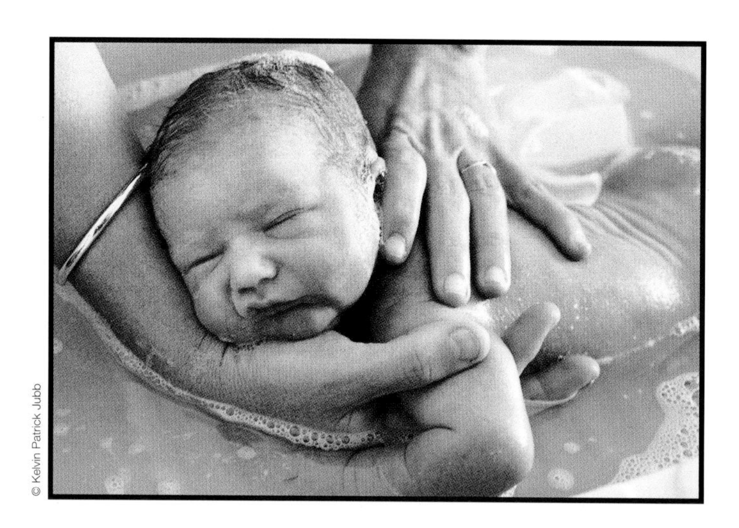

© Kelvin Patrick Jubb

© Thomas Vilhelm Jørgensen

© Gabi Reichert

Notre cœur s'emplit tant de plaisir devant la beauté et le **bonheur** des enfants qu'il en devient trop grand pour tenir dans notre corps.

[RALPH WALDO EMERSON]

© Slim Labidi

© Christel Dhuit

Ce sont les enfants et les oiseaux qu'il faut interroger
sur le goût des **cerises** et des fraises.

[GOETHE]

© Viktor Kolar

© Sefton Samuels

La vie **se délecte** de la vie.

[WILLIAM BLAKE]

© Jerry Koontz

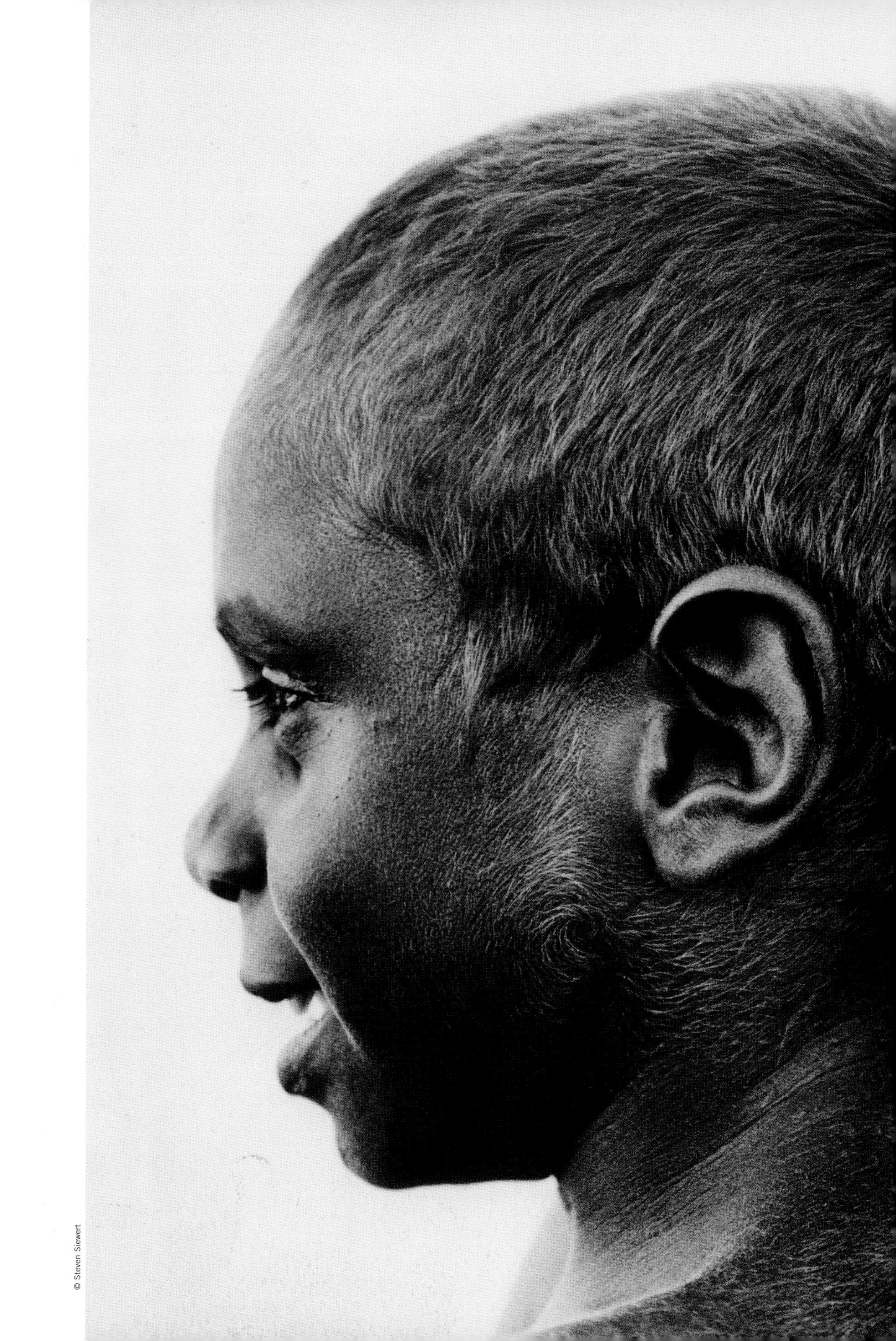

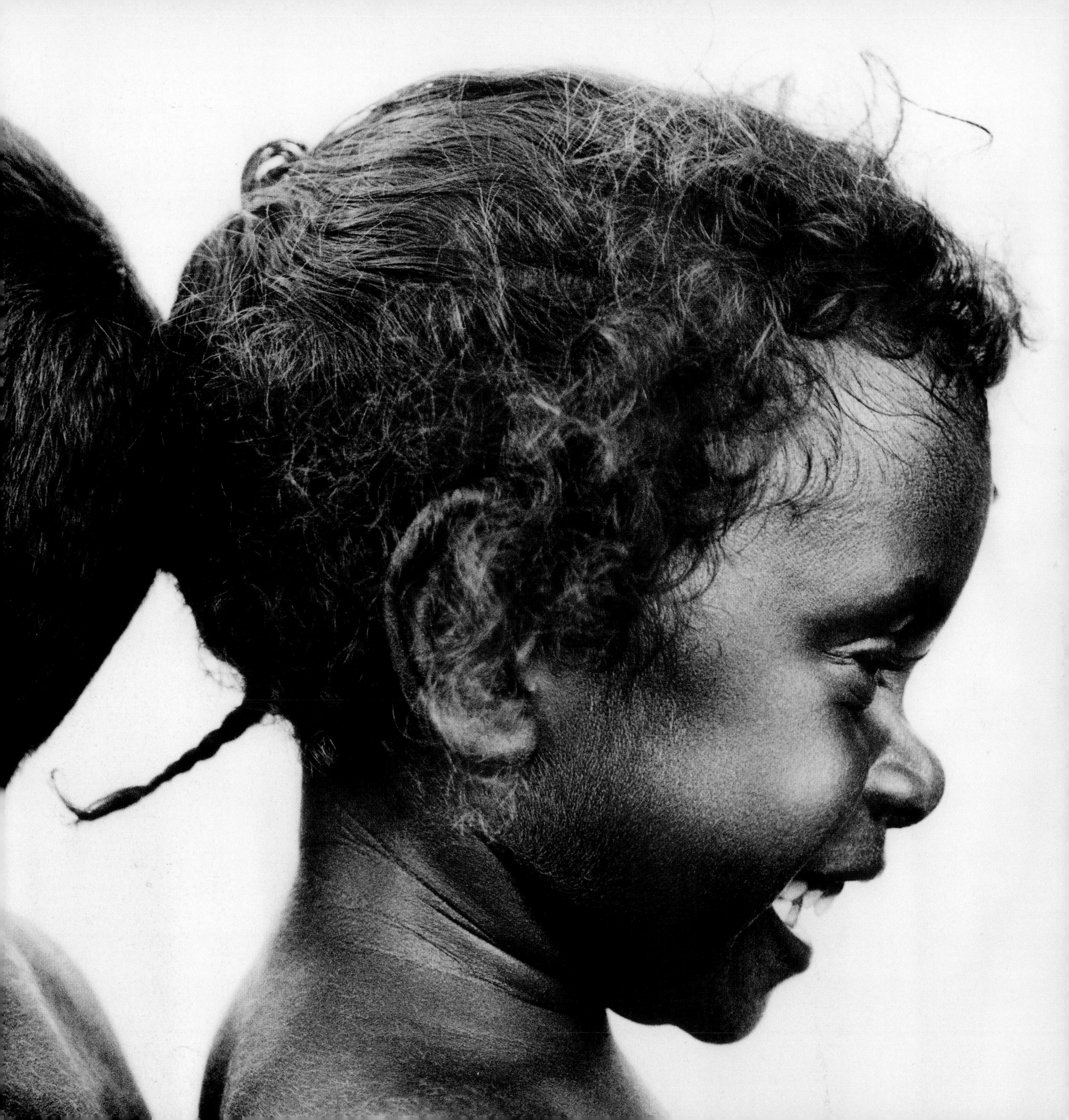

umbro

Aide-moi à m'élever, je t'aiderai à t'élever

et nous nous élèverons ensemble.

[PROVERBE QUAKER]

© Jenny Jozwiak

© Rashid Un Nabi

© Philip Kuruvita

Pour connaître la joie, il faut partager. Le bonheur est né jumeau.

[LORD BYRON]

Des visages d'enfants offerts telles des coupes
emplies d'émerveillement.

[SARA TEASDALE]

© Michael Agelopas

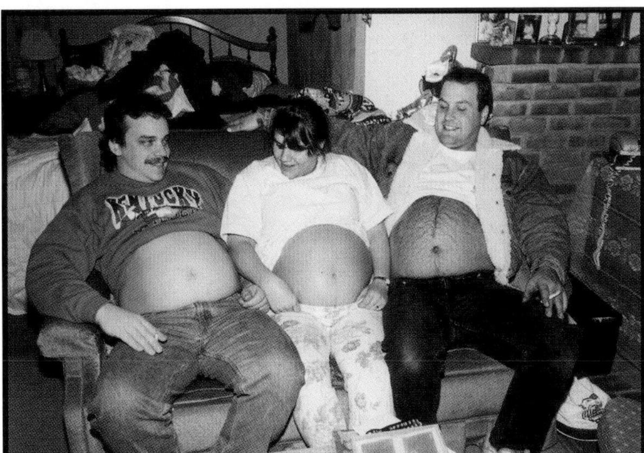

© Melonie Bennett

Transmettre la vie,

c'est admettre l'immortalité.

[HENRY BORDEAUX]

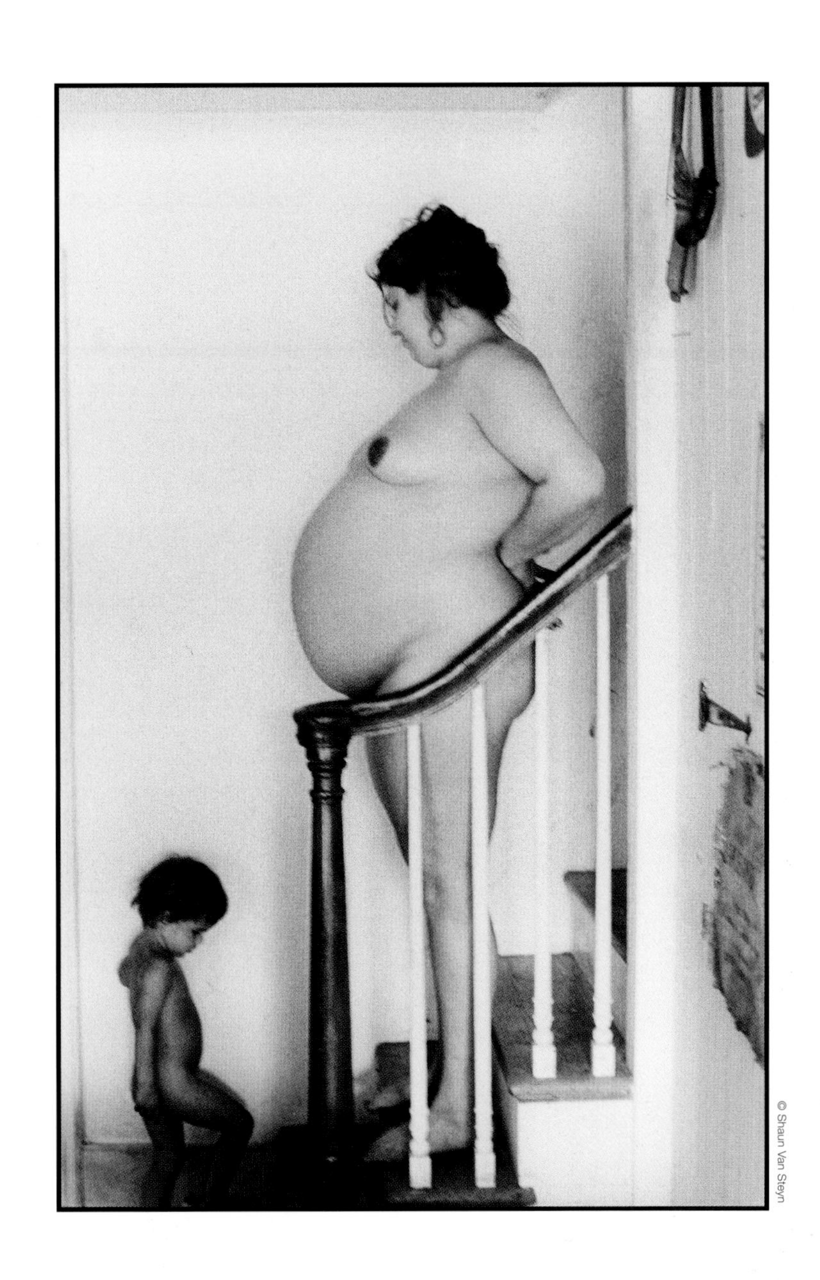

© Shaun Van Steyn

Quel pouvoir que la maternité !

[EURIPIDE]

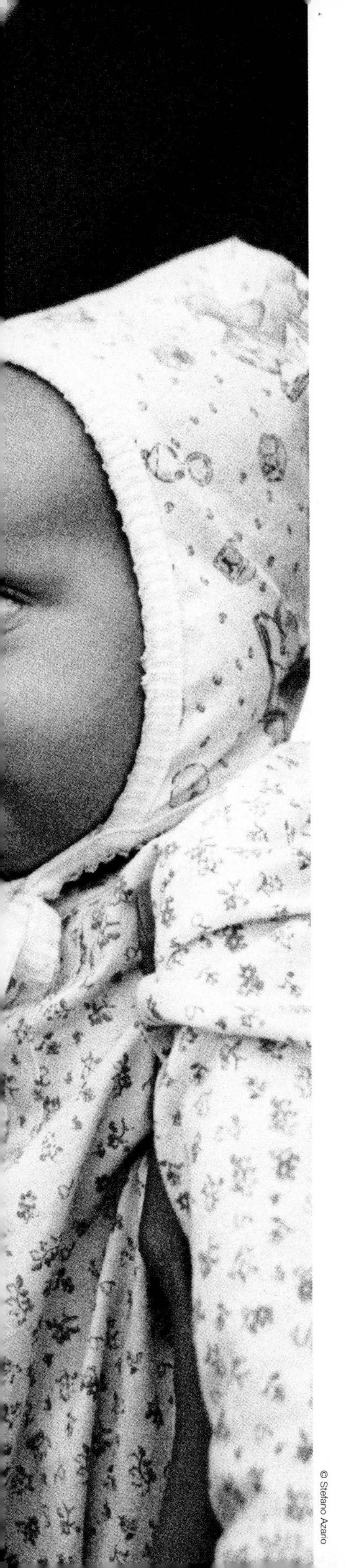

© Stefano Azario

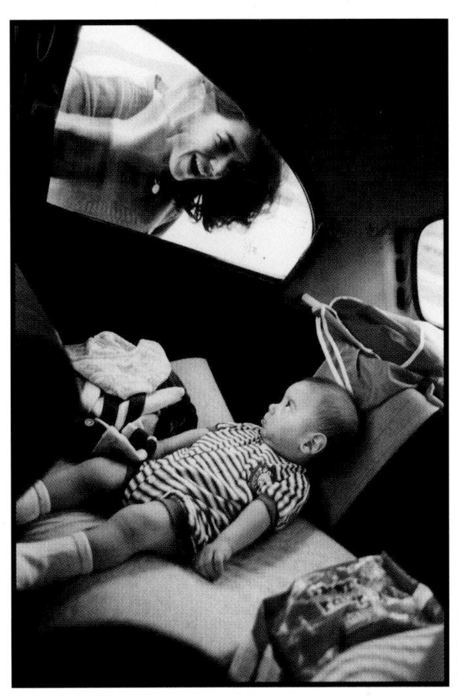

© Álvaro Díaz

Oh ! L'amour d'une mère !
Amour que nul n'oublie.

[VICTOR HUGO]

© Nick Ut, AP/AAP

Tant de cicatrices, sur mes bras, sur mon dos.

Je croyais que je ne me marierais jamais, que personne ne m'aimerait.

Combien j'avais tort ! Cette photo de mon petit ange Thomas avec moi,

c'est une image d'amour.

[KIM PHUC]

© Guan Cheong Wong

Tiens tendrement ce que tu chéris.

[BOB ALBERTI]

© Victor Englebert

La terre est ma patrie
et l'humanité, ma famille.

[KHALIL GIBRAN]

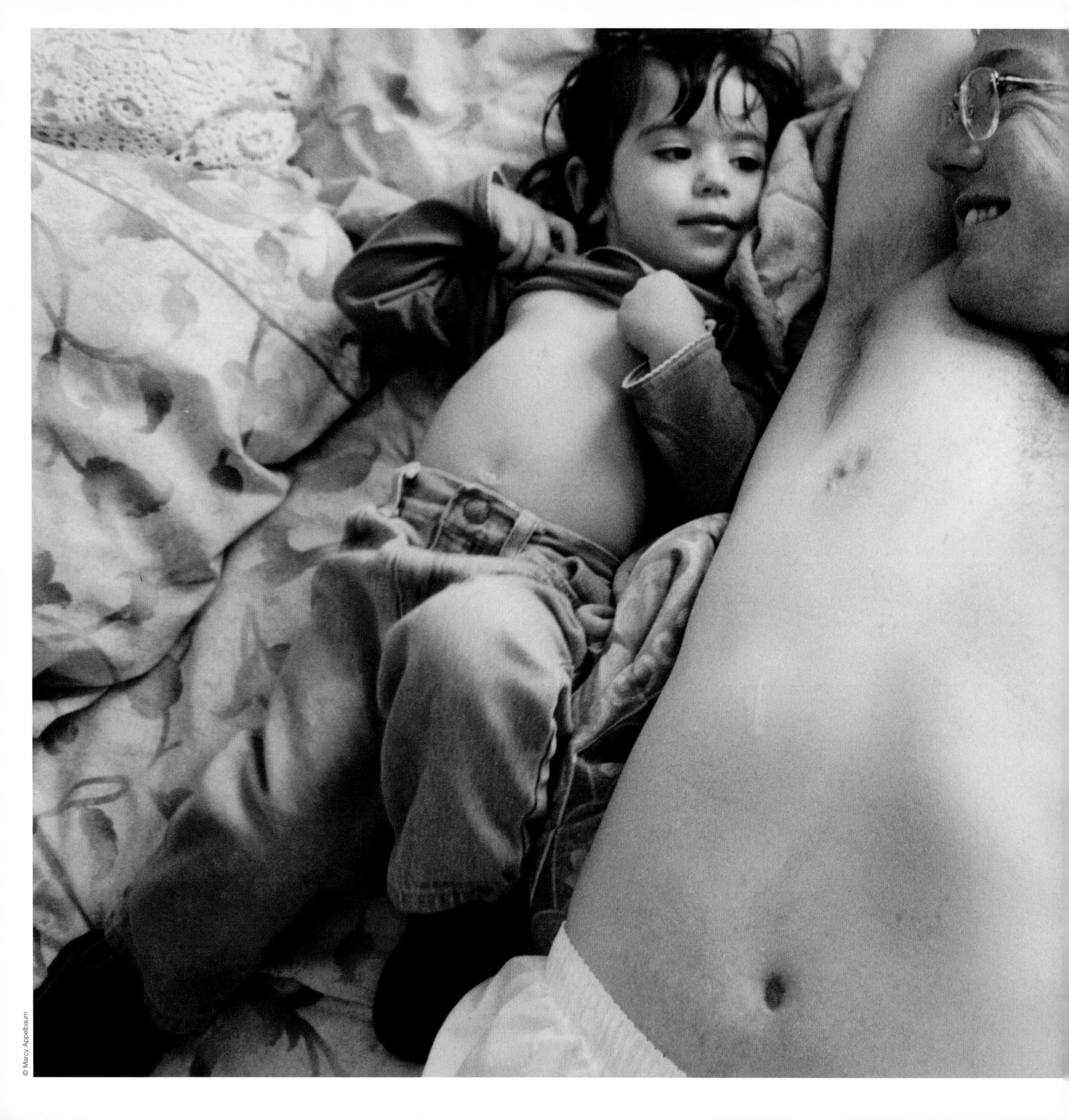

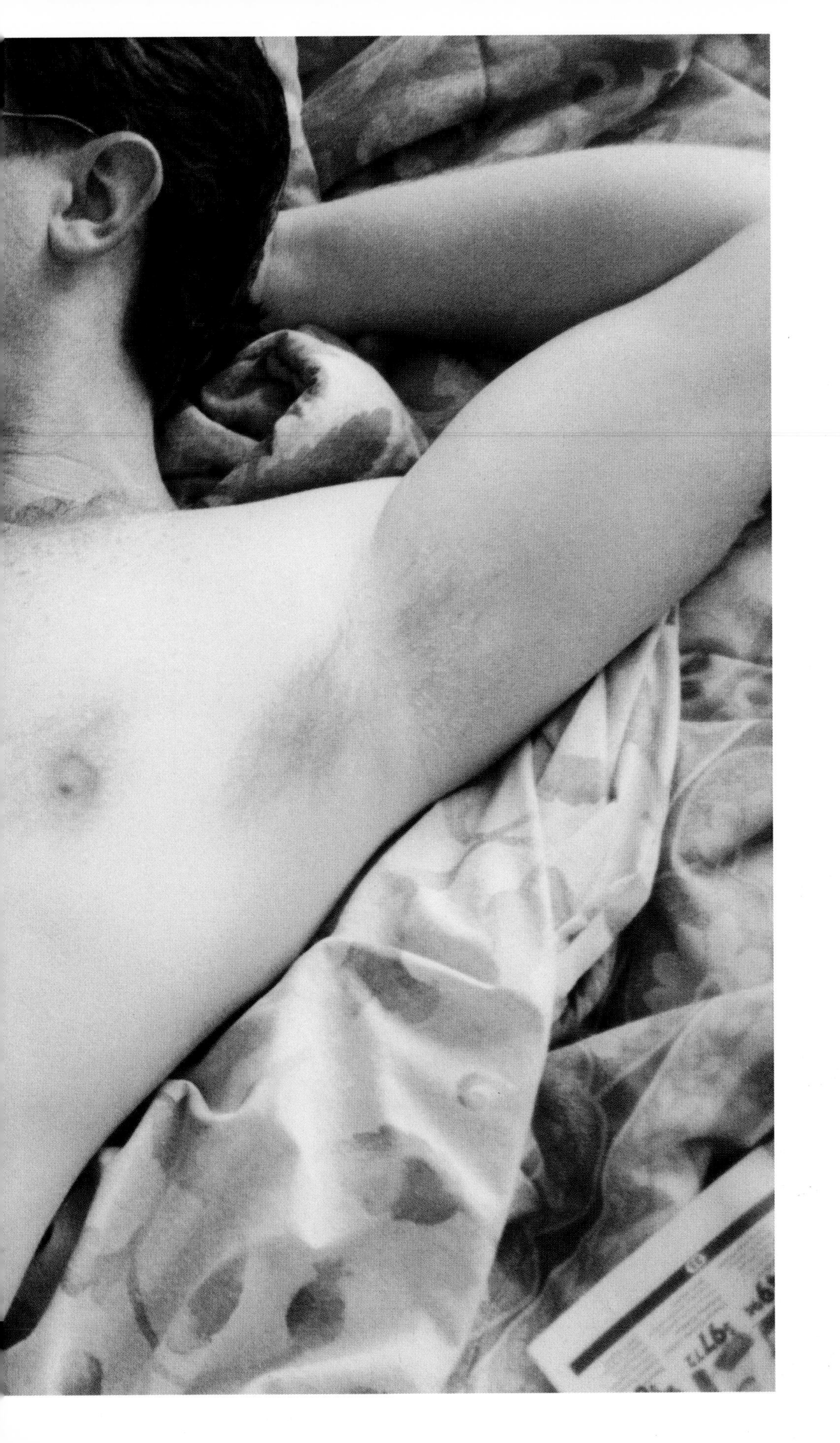

Quand un enfant naît, un père naît aussi.

[FREDERICK BUECHNER]

© Gordon Trice

La famille

est le noyau

de la civilisation.

[WILL DURANT]

© Georgina Lucock

© Joan Harrison

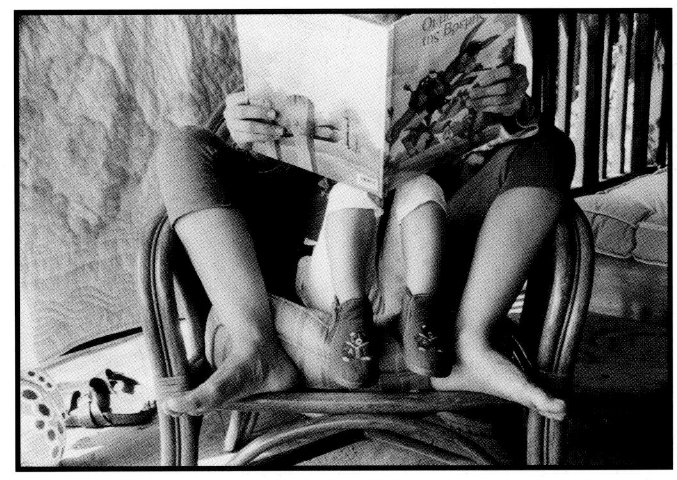

© Natassa Tselepoglou

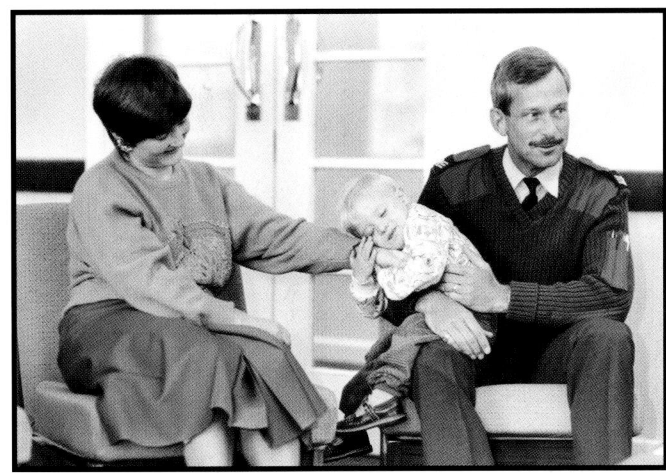

© Edmond Terakopian

© Russell Shakespeare

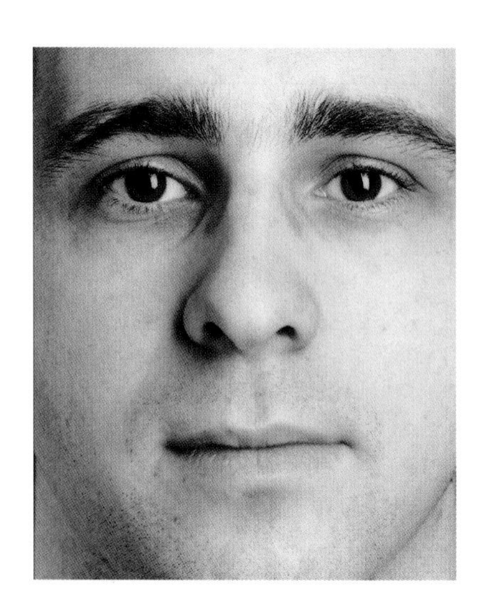  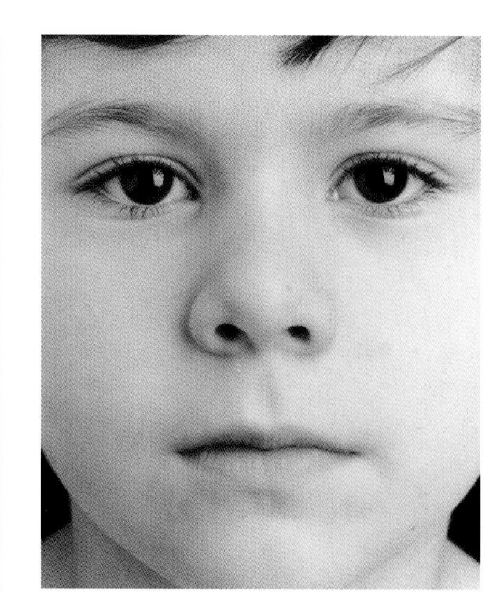 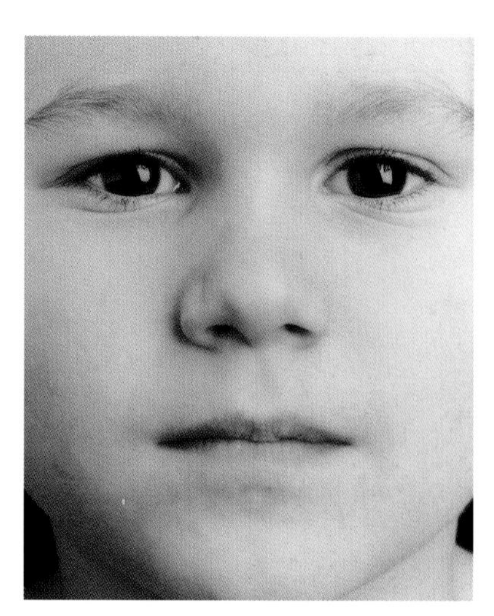

Fermez les yeux et posez la main sur votre cœur... Vous entendrez...

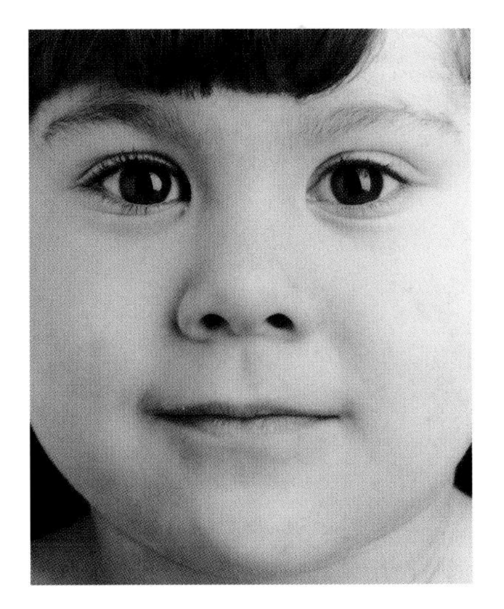

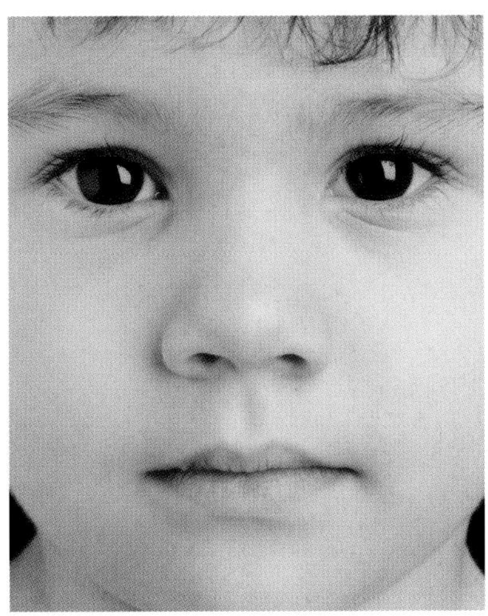

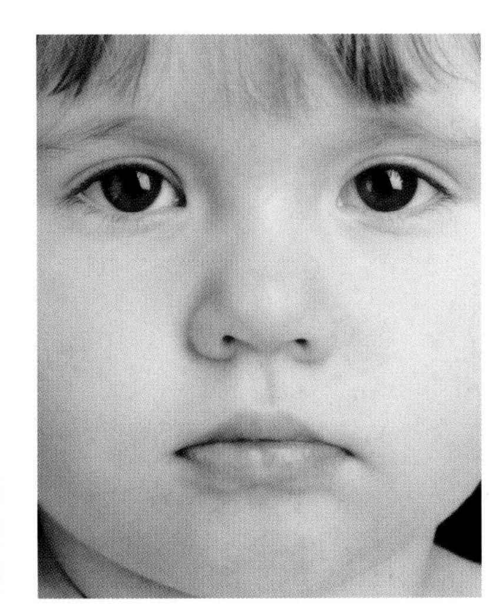

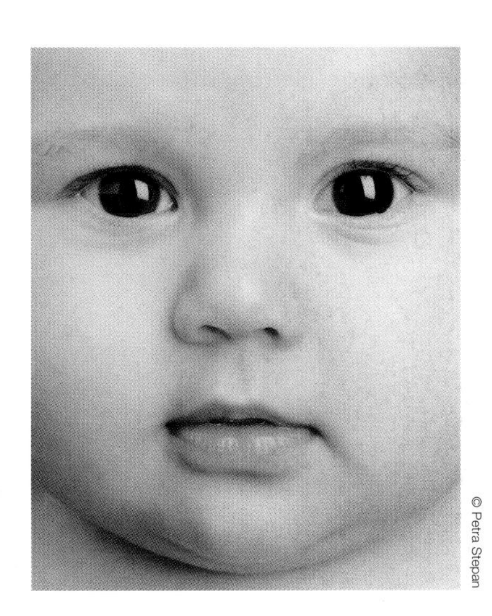

des cœurs battre dans le monde entier… Ils sont un seul et même cœur.

[JAMES MCBRIDE]

© Eddee Daniel

Ce n'est pas en courant derrière **l'âme d'un enfant** que vous la capturerez.

© Shauna Angel Blue

Il suffit de rester immobile pour qu'elle vienne d'elle-même, par amour.

[ARTHUR MILLER]

© Neil Selkirk

La joie n'est pas dans les choses, elle est en nous.

[RICHARD WAGNER]

© Auke Vleer

© J Michael O'Grady

© Leigh Mitchell-Anyon

CHICAGO
BULLS

© Bill Frakes

32 57

© Herman Krieger

© Richard Majchrzak

© Les Slesnick

© Les Slesnick

© Les Slesnick

Je te cherche par-delà l'attente

Par-delà moi-même

Et je ne sais plus tant je t'aime

Lequel de nous deux est absent.

[PAUL ELUARD]

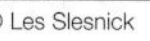

© Les Slesnick

© Les Slesnick

© Abu Taher Khokon

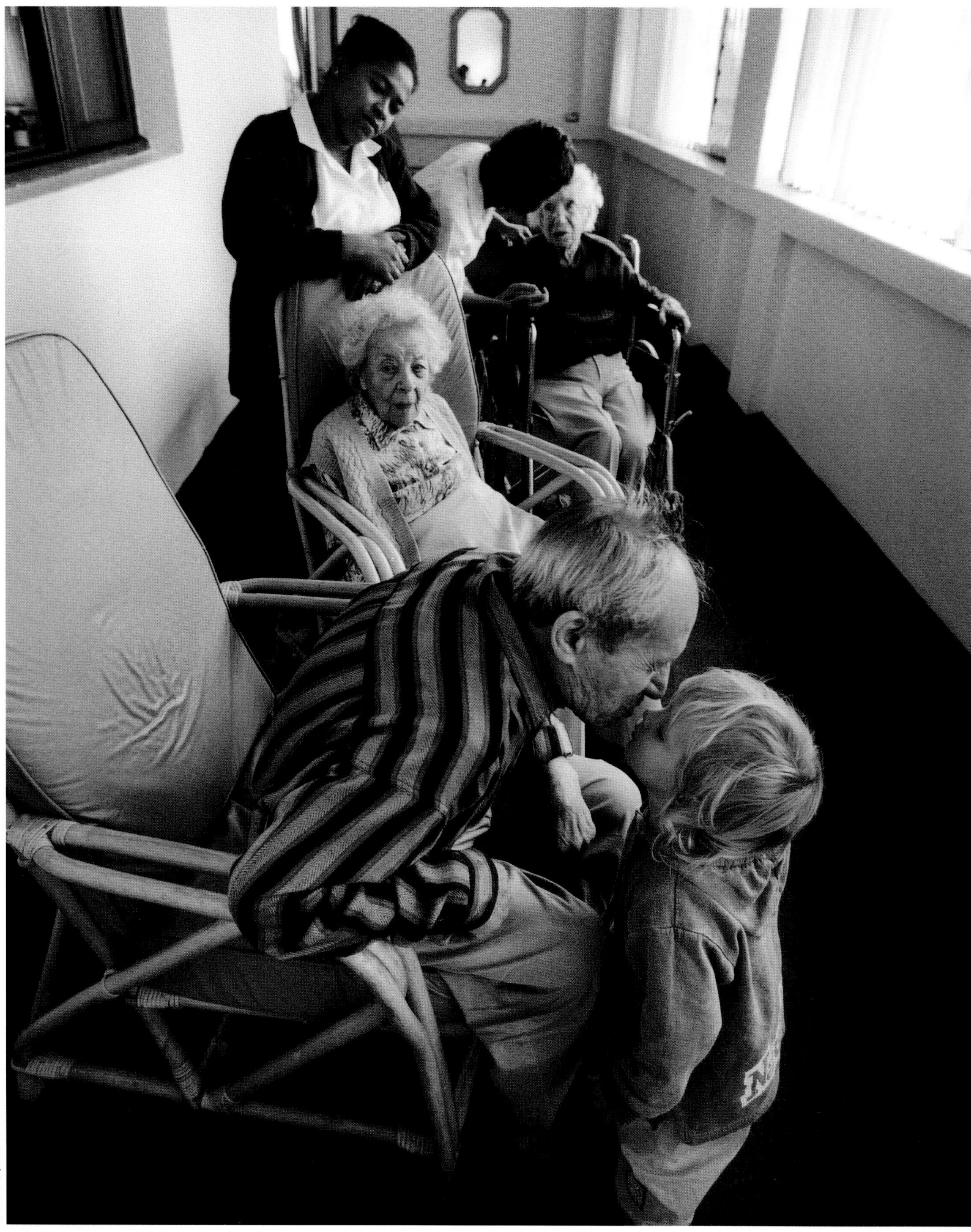

© Stephen Hathaway

Seules les choses peuvent nous changer,

mais nous commençons et finissons avec la famille.

[ANTHONY BRANDT]

RH

L'enfant est le sacre de la vie.

[S. PONIAZEM]

J'ai voulu éveiller une conscience plus profonde de notre humanité commune en pénétrant l'expérience la plus humaine – la mort.

Je le fais dans l'espoir de susciter chez les gens davantage de compassion envers eux-mêmes et envers les autres.

© Heather Pillar

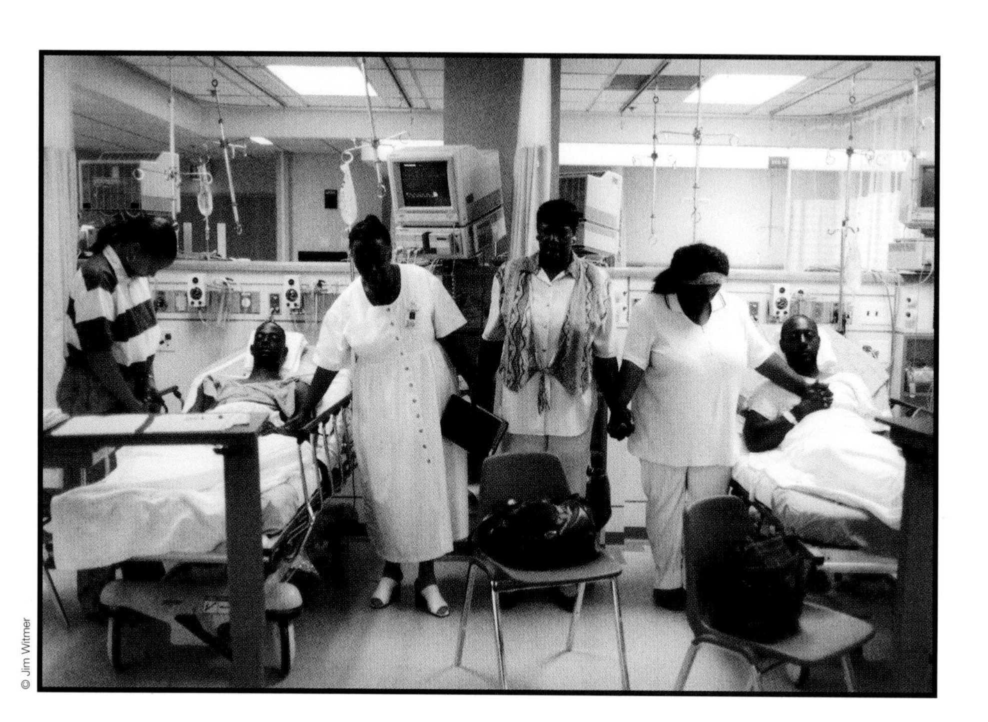

© Jim Witmer

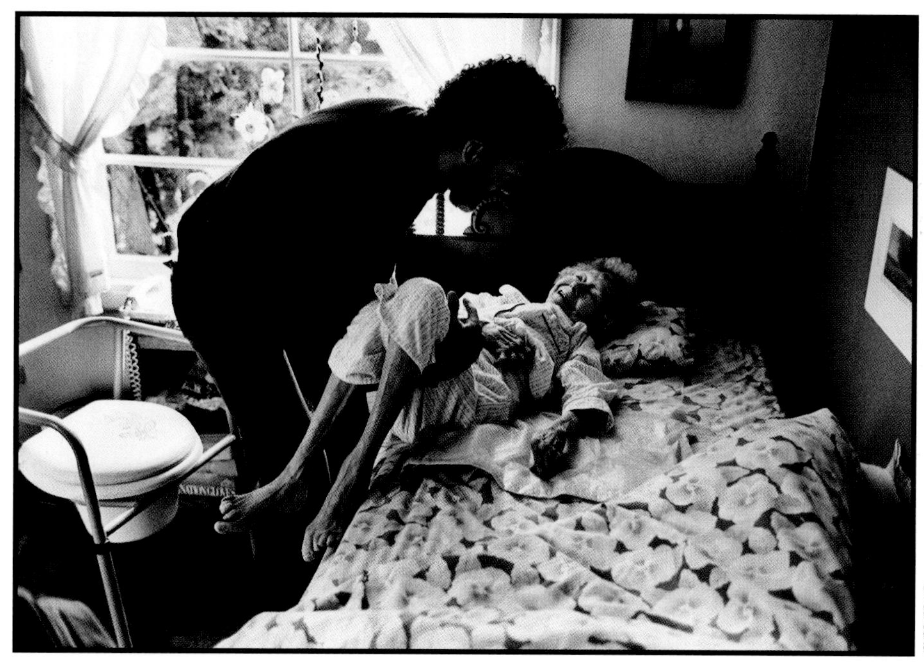

© Paul Carter

© Roberto Colacioppo

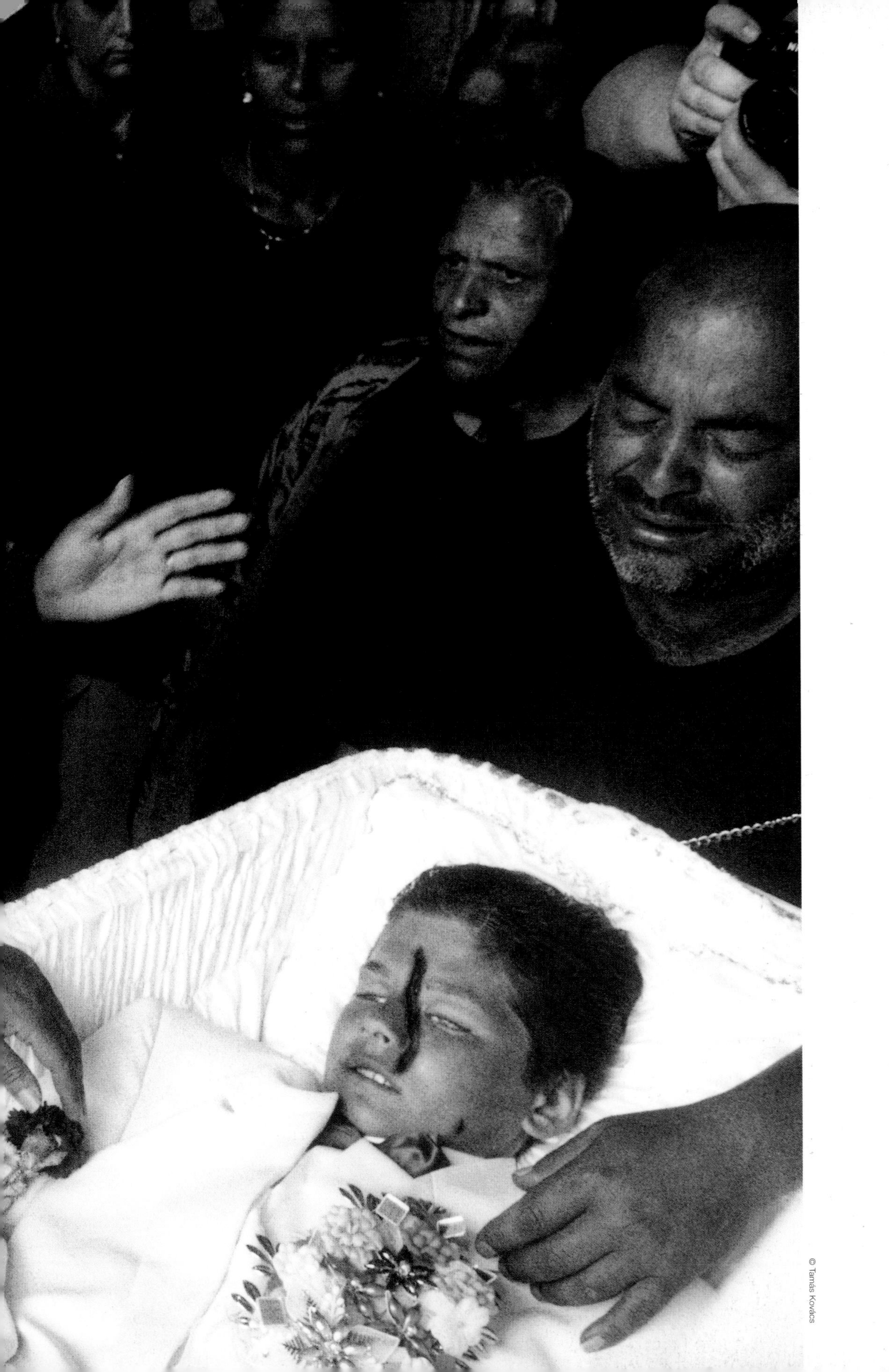

© Stephen McAlpine

© Manfred Wirtz

Un mariage heureux

est une longue conversation qui semble toujours trop brève.

[ANDRÉ MAUROIS]

© Katherine Fletcher

Où il y a de **l'amour,** il y a de la vie.

[MAHATMA GANDHI]

© Rachel Pfotenhauer

© Steven Baldwin

© Deborah Roundtree

Le manque d'amour

est la plus grande pauvreté.

[MÈRE TERESA]

© Ben Law-Viljoen

Aimer ce n'est pas se regarder l'un l'autre...

c'est regarder ensemble dans la même direction.

[ANTOINE DE SAINT-EXUPERY]

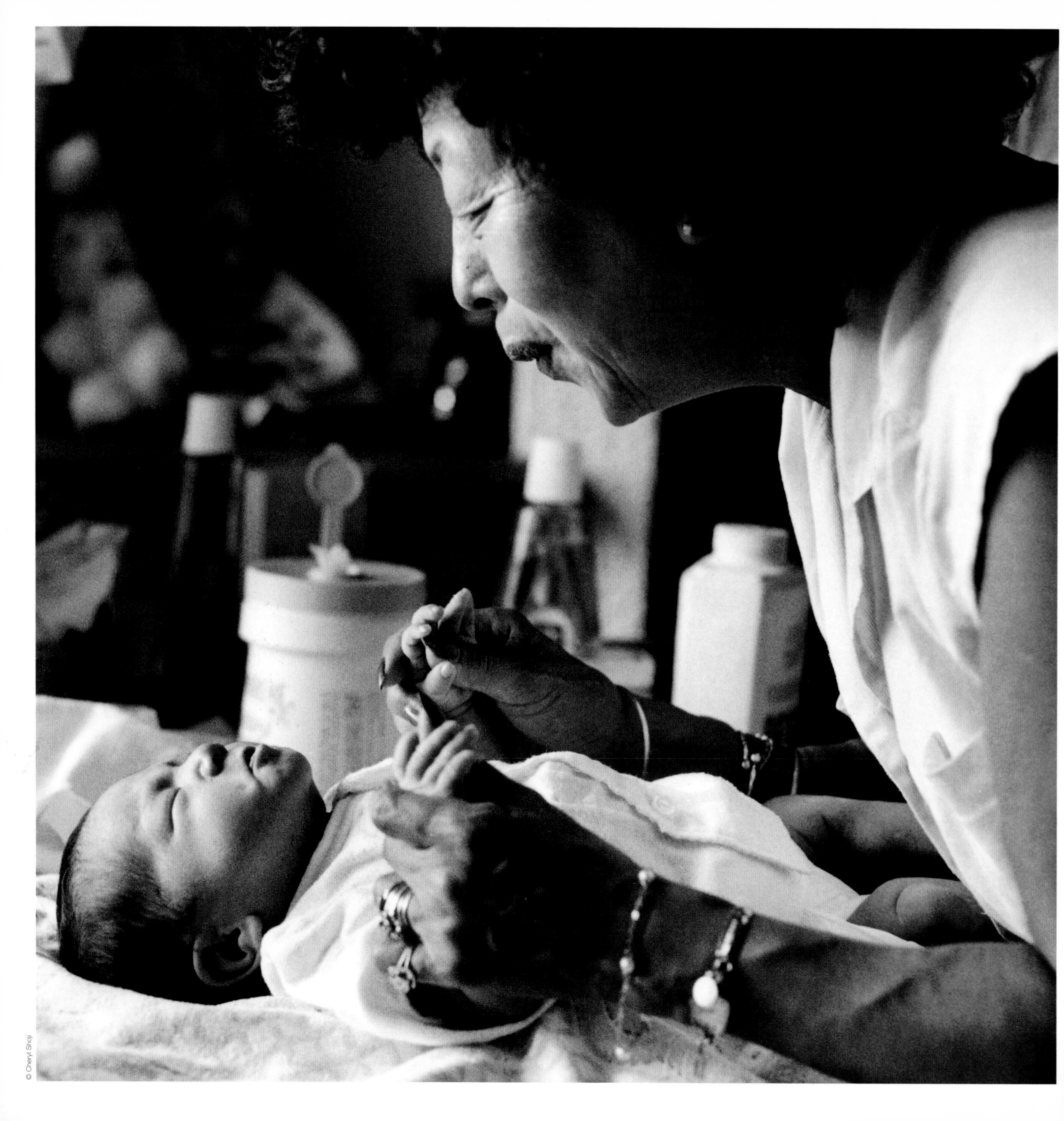

Le monde ne mourra jamais par manque de merveilles

mais uniquement par amnque d'émerveillement.

[G. K. CHESTERTON]

© Đỗ Anh Tuấn

La sagesse commence dans l'émerveillement.

[SOCRATE]

© Peter Thomann

© Guus Rijven

Recherche la sagesse de l'âge, mais regarde le monde avec les yeux d'un enfant.

[RON WILD]

© Lyn Dowling

Les visages d'une famille sont des miroirs magiques.

[GAIL LUMET BUCKLEY]

La famille est la dernière et la plus grande découverte...

Elle est notre dernier **miracle.**

[JAMES MCBRIDE]

AMITIÉ

MAEVE BINCHY

Lors de mon premier jour d'école, une petite fille m'a demandé d'être sa meilleure amie. Nous avions cinq ans. Nous portions toutes deux des pulls aux couleurs vives et des rubans dans les cheveux qui nous donnaient l'air de cacatoès. « Qu'est-ce qu'il faut que je fasse ? » ai-je demandé avec inquiétude. Il s'était déjà passé beaucoup de choses ce jour-là, j'étais devenue méfiante. « Je ne sais pas », reconnut-elle. « Mais il paraît que c'est bien d'avoir des amis. »

Et comme elle avait raison ! Quelle sagesse, à cinq ans ! Elle s'appelait Jillyann, et j'ai tout de suite donné son nom à l'une de nos poules, pour marquer que nous étions amies et que c'était bien. Nous habitions une banlieue de Dublin et élevions onze poules dans un petit jardin ; elles ont fini par porter des noms comme Jillyann, Celeste, Eunice, Mary et Philippa, en hommage à l'amitié. Elles ont gloussé jusqu'à un âge avancé, mais quand elles sont toutes tombées du perchoir, leur temps accompli, les amitiés ont survécu. Des amitiés qui ont éclairé ma vie, comme l'amitié l'a fait partout et de tout temps.

Honnêtement, je ne sais pas comment on peut vivre sans amis. Des gens avec qui partager des secrets, des espoirs et des rêves. Des gens même prêts à partager humiliation, honte et pertes.

Des gens avec qui rire sans raison, chanter les mêmes chansons, lire les mêmes livres, ou qui nous diront ce que personne au monde ne nous dira : que notre dernière coloration était une terrible, terrible erreur.

Comment vivent-ils, ces gens heureux et fiers d'être si indépendants qu'ils déclarent haut et fort n'avoir pas besoin d'amis ? Ce numéro, le jouent-ils par nécessité, parce qu'ils se retrouvent sans ? Ont-ils peur de faire confiance, de s'ouvrir ? Peur d'être ouvertement naturels dans un monde où il est si important de jouer le rôle de celui pour qui tout va bien même quand c'est manifestement loin d'être le cas ? Y a-t-il de la dignité à pouvoir se suffire à soi-même, à être une île dépourvue de tout contact ?

Voilà vingt-cinq ans, j'ai quitté la petite société irlandaise, où chacun en savait bien trop sur tout le monde, et suis allée vivre dans l'immense anonymat de Londres où on peut croiser des millions de gens chaque jour sans en connaître aucun et sans qu'aucun ne vous connaisse.

Mais je n'ai jamais compris comment tant de gens semblent faire une vertu de n'avoir pas d'amis. Dans la rue voisine vivait un monsieur, un grand bonhomme aux yeux tristes, il descendait toujours la rue d'un pas lent, le dos raide. Il ne regardait jamais ni à droite ni à gauche, ne saluait personne. Je le saluais, bien sûr, non par gentillesse ou générosité, simplement parce que dans le pays d'où je venais on avait l'habitude de saluer les gens du voisinage et d'échanger quelques mots avec eux. Il regardait autour de lui d'un air surpris comme si je m'adressais à quelqu'un d'autre, mais il était content de répondre à ce qu'il devait prendre pour des questions personnelles sur ses préférences en matière de temps, de programmes télévisés ou le moyen de faire pousser quelque chose dans le sol anémié des jardins londoniens.

Il a répondu plus facilement quand il a compris que je n'avais pas l'intention de m'installer chez lui, mais il n'est jamais allé jusqu'à me demander quoi que ce soit à mon sujet. Peut-être manquait-il de courage, voire d'intérêt ? Un jour, je lui ai demandé où habitaient ses amis. « Des amis ? »Il a lâché ce mot comme si je lui avais parlé de Martiens. J'ai laissé tomber le sujet. Quand il est mort, il n'y avait presque personne devant sa maison le jour où les pompes funèbres sont venues le chercher. J'entendais les voisins dire que c'était quelqu'un de bien parce qu'il se suffisait à lui-même. J'aurais voulu crier que s'il était assurément un brave homme, ce n'était pas parce qu'il se suffisait à lui-même, mais précisément en dépit de cela.

En tant qu'enseignante, voyageuse et écrivain, j'ai parcouru bien des parties de ce monde, et partout et toujours j'ai été touchée par des images d'amitié. De petits bouts de chou sur le chemin de l'école à Bali, cueillant d'immenses feuilles de bananier pour se protéger mutuellement alors qu'une averse tropicale menaçait leurs chemises immaculées. Ils couraient en riant pour échapper aux larges gouttes de pluie. Deux vieillards d'Athènes si bien absorbés par leur partie d'échecs quotidienne qu'ils ne remarquaient ni l'animation qui bourdonnait autour d'eux, ni les touristes qui les bousculaient... Ils se menaçaient du doigt en souriant comme si l'autre avait triché. Quatre matrones hilares sur une plage de Bulgarie, manifestement amies de longue date, s'échinant à des exercices de gymnastique parmi une foule de femmes bien plus agiles qu'elles, sans se sentir déplacées, simplement parce qu'elles le faisaient ensemble.

En Écosse, des garçons qui jouaient divinement au football dans le stade de rêve qu'ils avaient créé dans une vieille cour, improvisant des buts avec leurs vestes. Des New-Yorkais faisant du shopping, qui échangeaient des bourrades enthousiastes à l'idée de la bonne affaire qui les attendait au coin de la rue. Des joueurs de golf au Canada s'expliquant inlassablement la technique du swing et compatissant quand l'autre avait malgré tout raté. Deux couples, irrémédiables perdants à Las Vegas, s'essuyant mutuellement les larmes à l'aide de grands mouchoirs bariolés, et disant qu'ils devaient s'estimer heureux d'avoir laissé leurs billets d'avion à l'aéroport, ainsi, ils n'avaient pas pu les revendre. Deux jeunes mamans qui avaient tout fait ensemble, fiançailles, mariage, premier bébé, protégeant leur progéniture des rayons du soleil sur la plage de Bondi, en Australie, chacune s'occupant de l'enfant de l'autre comme si c'était le sien.

J'aurais souvent voulu éterniser sur la pellicule cette chose merveilleuse et enrichissante qu'est l'amitié, c'est donc une joie pour moi de parcourir les images de ceux qui l'ont fait. Elles prouvent, si besoin est, que l'amitié n'implique pas qu'on soit issus du même milieu, qu'on partage les mêmes intérêts. Une amitié peut s'épanouir sur le terrain le plus inattendu, le plus ingrat.

Quand j'étais étudiante, j'ai eu pendant quatre ans un ami passionné de boxe – sport que je déteste. Comme il n'était jamais allé au théâtre, je l'ai emmené voir Long Day's Journey into Night. Il dit qu'il avait trouvé la pièce intéressante, mais qu'elle ne lui avait pas vraiment plu. Pourquoi est-ce qu'ils ne se secouaient pas un brin, n'arrêtaient pas de boire et de se lamenter pour s'en sortir ? À charge de revanche, il a bien fallu que j'assiste à un match de boxe. J'ai détesté cela en me demandant pourquoi ils ne pouvaient pas se serrer la main et sortir du ring pour aller manger une pizza ensemble.

Notre amitié a survécu à ces épreuves, parce que nous avions beaucoup d'autres choses en commun, le club de discussion, le jeu d'échecs, les romans policiers, l'importance d'enseigner, l'horreur des calembours et la conviction de ce que la vie allait devenir meilleure. Il a continué à s'occuper d'une équipe de jeunes boxeurs, ce qui ne m'a jamais enthousiasmée. J'ai continué à écrire des pièces de théâtre où il se serait sans doute endormi. À la fin de nos études, nous ne nous sommes guère revus. Mais je l'ai rencontré plusieurs fois depuis, et le langage commun de l'amitié est toujours là, le sentiment qu'il n'est pas nécessaire d'expliquer ni de replacer les choses dans un contexte. Il n'y a rien de meilleur. Comme nous n'avons jamais été amoureux l'un de l'autre, nous ne nous disputons pas pour savoir qui a quitté l'autre. L'amitié est à bien des titres plus pure que l'amour, ce type d'engagement sexuel exigeant que tout autre soit exclu de la relation.

Je déborde de joie à l'idée que mes amis ont beaucoup, beaucoup d'autres amis que moi, mais je ne fais pas preuve de la même largesse d'esprit envers mon « Amour ». Je serais profondément perturbée et irritée – pour ne pas dire bouleversée – d'apprendre qu'il a eu un autre amour que moi. Il n'est donc pas étonnant que l'amitié soit plus facile à gérer. Et si chez d'autres l'amour peut être déroutant, intrigant, agaçant ou inconsidéré, leurs amitiés sont toujours émouvantes.

Ma mère avait une amie que je trouvais très bizarre et pas assez bien pour elle. Elles travaillaient toutes deux comme infirmières depuis de longues années et avaient parcouru un très long chemin ensemble. Cette femme était élégante, présentait bien, très consciente de l'image qu'elle donnait d'elle-même, tandis que ma mère, une forte femme, généreuse et enjouée, était à l'opposé. L'amie de ma mère aurait eu un geste de recul à l'idée des mains poisseuses qu'un enfant tendrait vers elle par affection, et pourtant ma mère tenait beaucoup à elle comme amie. Elles pouvaient passer des journées à parler du Foyer des infirmières et à évoquer le temps où elles révisaient leurs cours d'anatomie sur un squelette qu'elles avaient acheté ensemble avec de l'argent gagné en misant sur un cheval.

Il était tonifiant de les observer, car, en dépit de leurs apparentes différences sociales, elles n'étaient au fond que d'innocentes jeunes filles et les marques de la maturité semblaient quitter leurs visages quand elles parlaient du passé, du présent et de l'avenir.

Je me souviens du soir où ma mère a appris le décès de son amie. Elle n'est pas allée se coucher. Elle est restée assise à la fenêtre, regardant la nuit au dehors, et aucun de ceux qui l'aimaient n'a pu la consoler, ni son mari, ni ses enfants.

« C'était mon amie – nous n'avions pas besoin de nous expliquer quoi que ce soit », ne cessait-elle de répéter.

Une amitié ne remonte pas nécessairement loin dans le temps, elle peut être tout aussi exaltante dès le début. Récemment, nous étions huit à effectuer un voyage de presse au cours duquel tout ce qui pouvait aller de travers est effectivement allé de travers, intoxication alimentaire, accident de la route, morsures de serpent, jusqu'à un ministre d'un lointain pays profondément offensé par je ne sais quoi. Mais nous avons survécu, et, tels les survivants d'un naufrage, nous restons indissolublement liés par cette amitié née dans l'horreur.

Il est pour moi hors de doute que l'amitié est plus aveugle que l'amour. Je n'ai aucune idée, par exemple, d'à quoi ressemblent mes amis. J'aurais du mal à vous le dire, car, s'ils sont mes amis, je ne vois rien d'autre que leurs sourires, leur impatience d'entendre ou de dire quelque chose de nouveau, leur conviction que j'ai aussi quelque chose de bien à dire. Je ne pourrais pas dire que l'un était un petit gros au crâne chauve, ou qu'une autre, à l'élégance époustouflante, faisait dix ans de moins que son âge. Cela n'a rien à voir. De même que la plupart des gens sur ces photos seraient incapables de vous dire comment leurs amis sont habillés, je ne saurais pas dire ce que portaient les miens la dernière fois que je les ai vus. C'est la compagnie, le fait de s'accepter mutuellement, la capacité à partager, le langage commun qui comptent pour moi, à l'exclusion de toute autre chose.

J'ai été profondément émue par ces images de bons moments rendus encore meilleurs et de mauvais moments oubliés grâce à la magie salutaire de l'amitié. Puisse la joie de leurs amitiés et des vôtres vous rendre l'âme heureuse pour toujours.

MAEVE BINCHY DUBLIN

Le rire est le plus court chemin

entre deux êtres.

[VICTOR BORGE]

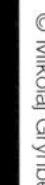

© Mikolaj Grynberg

© Lori Carr

Un ami est comme un autre soi-même.

[CICÉRON]

© Janice Rubin

© Minh Qúy

© Sombut Keitkeaw

Que la douceur de l'amitié soit faite de rires et de plaisirs partagés.

[KHALIL GIBRAN]

© Mara Catalán

GET
GET WET

Une joie partagée augmente du double. Un **chagrin** partagé diminue de moitié.

[PROVERBE SUÉDOIS]

L'amour n'est que

la découverte

de soi-même dans l'autre, et la joie de s'y reconnaître.

[ALEXANDER SMITH]

© Tran Cong Thanh

© Surendra Pradhan

© Amit Bar

© Shannon Eckstein

Nous avons tissé une toile dans **l'enfance**, une toile faite de rayons de soleil.

[CHARLOTTE BRONTË]

© Thierry Des Ouches

© David M Grossman

© Romano Cagnoni

Le rire est meilleur que la **prière** pour le salut de l'âme.

[HENRI GOUGAUD]

© Đỗ Ảnh Tuấn

La route qui mène chez **un ami** n'est jamais longue.

[PROVERBE DANOIS]

© Paz Errázuriz

AUTOPRO

© Davy Jones

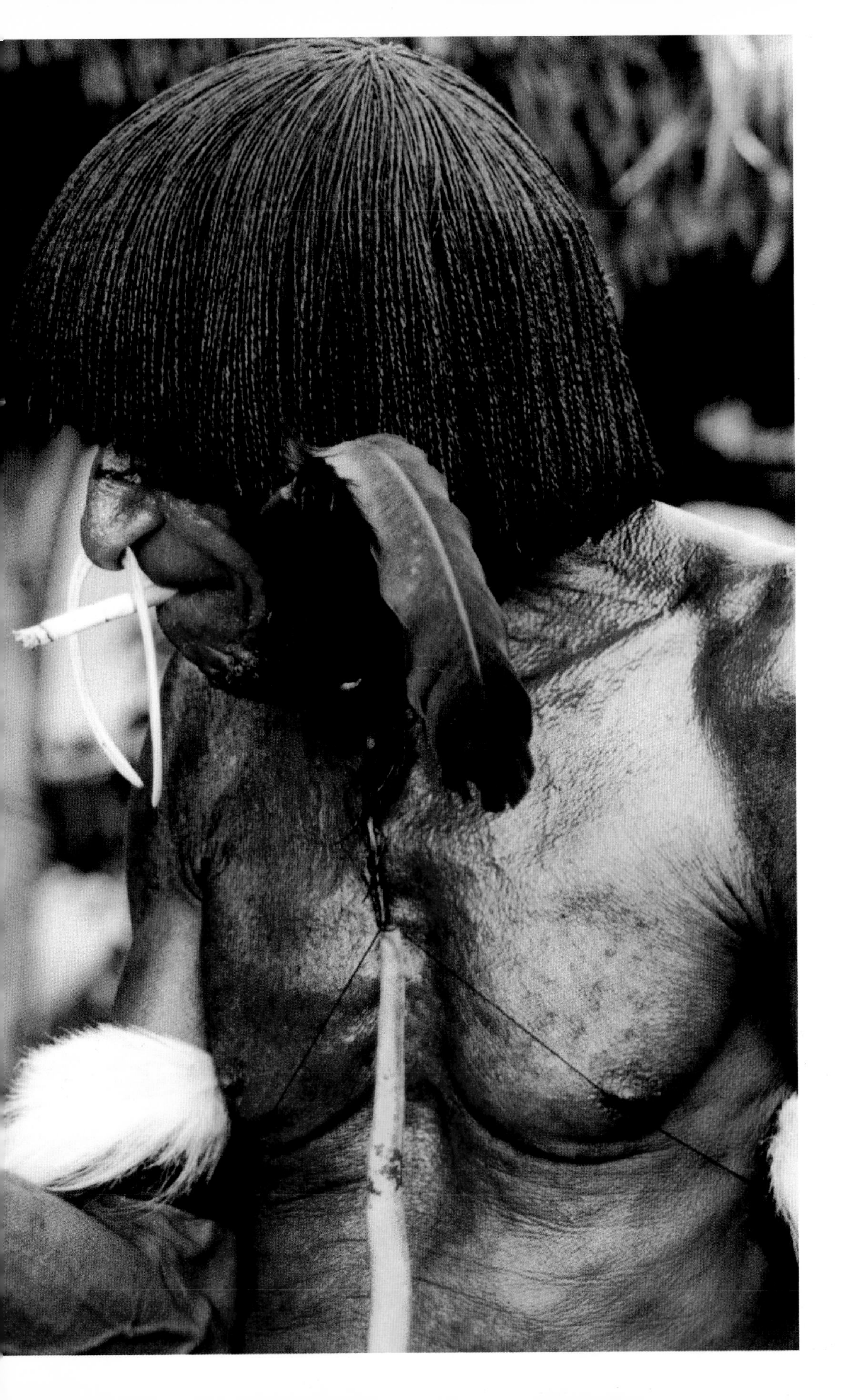

© Jana Noseková

© Simon Roberts

Sans la communauté des hommes, un être seul ne peut survivre.

[DALAÏ LAMA]

© Simon Lynn

© Damrong Juntawonsup

© Gail Harvey

© Ted Polumbaum

VOICE
www.villagevoice.com

Une amitié peut naître sur la terre la plus aride

et la plus improbable.

[MAEVE BINCHY]

© Felix Bialy

© Jennifer Prunty

© Mike Ryan

© Ann Versaen

© Claude Coirault

Le courage de vivre offre souvent un spectacle moins extraordinaire que le courage du dernier instant.

Pourtant, quel **magnifique mélange** de triomphes et de tragédies.

[JOHN F. KENNEDY]

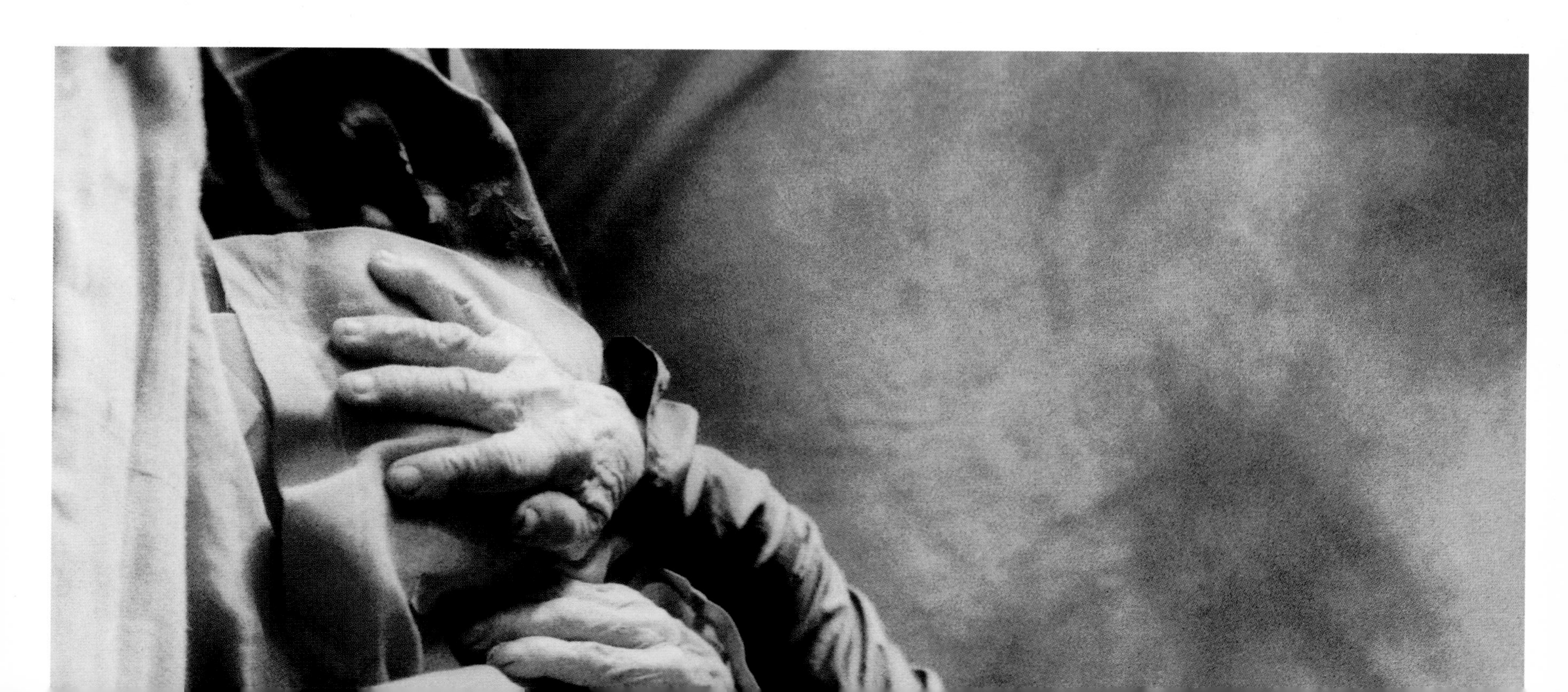

Une seule rose peut être mon jardin...

un seul ami, mon univers.

[LEO BUSCAGLIA]

© Krassimir Andonov

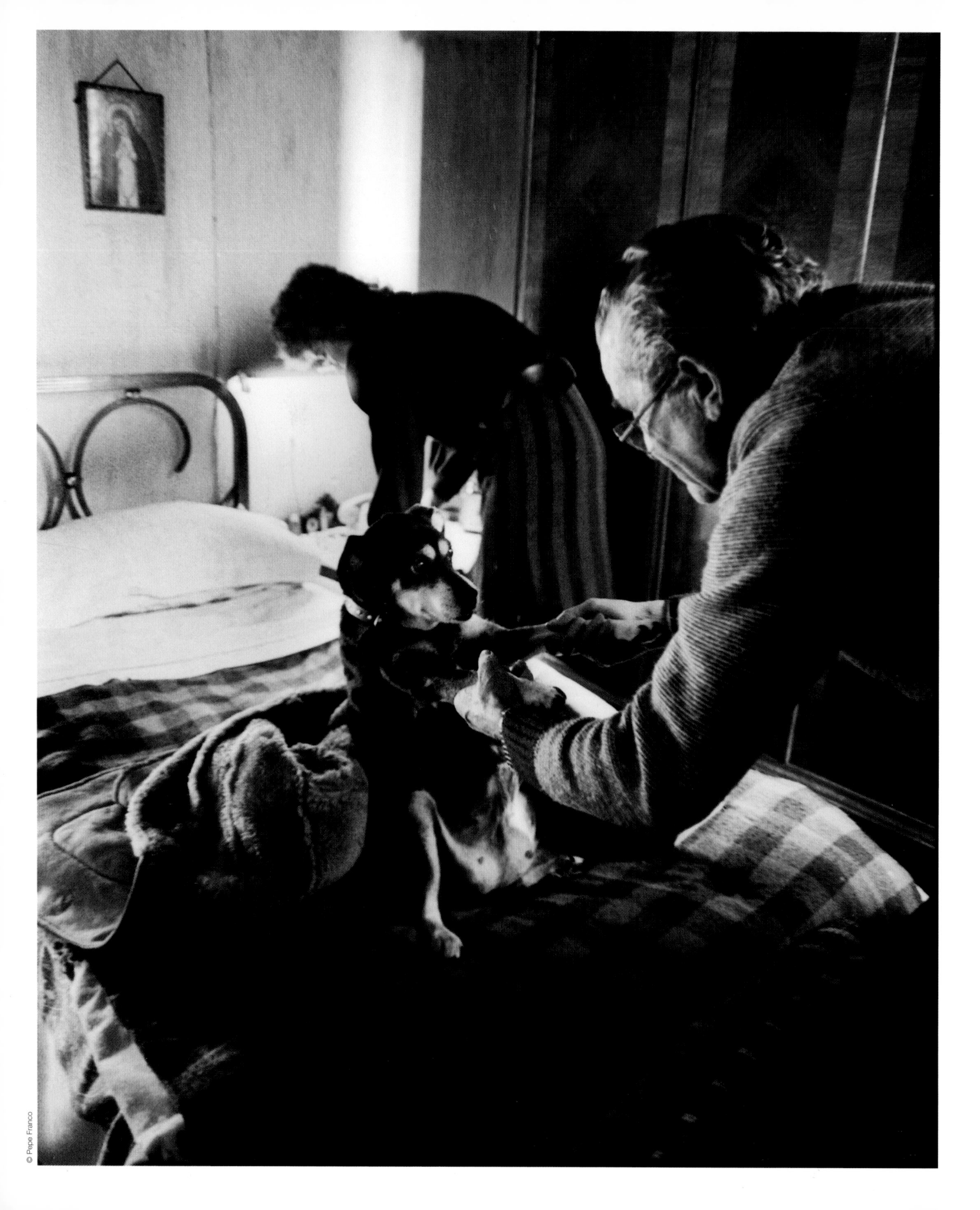

© John A Hryniuk

© Charley Van Dugteren

De bonnes paroles peuvent être brèves
et faciles à dire,
mais leur **écho** est véritablement éternel.

[MÈRE TERESA]

© Joan Sullivan

© Kailash Soni

© Dilip Padhi

Le monde est une rose, respire-la et passe-la à ton ami.

[PROVERBE KURDE]

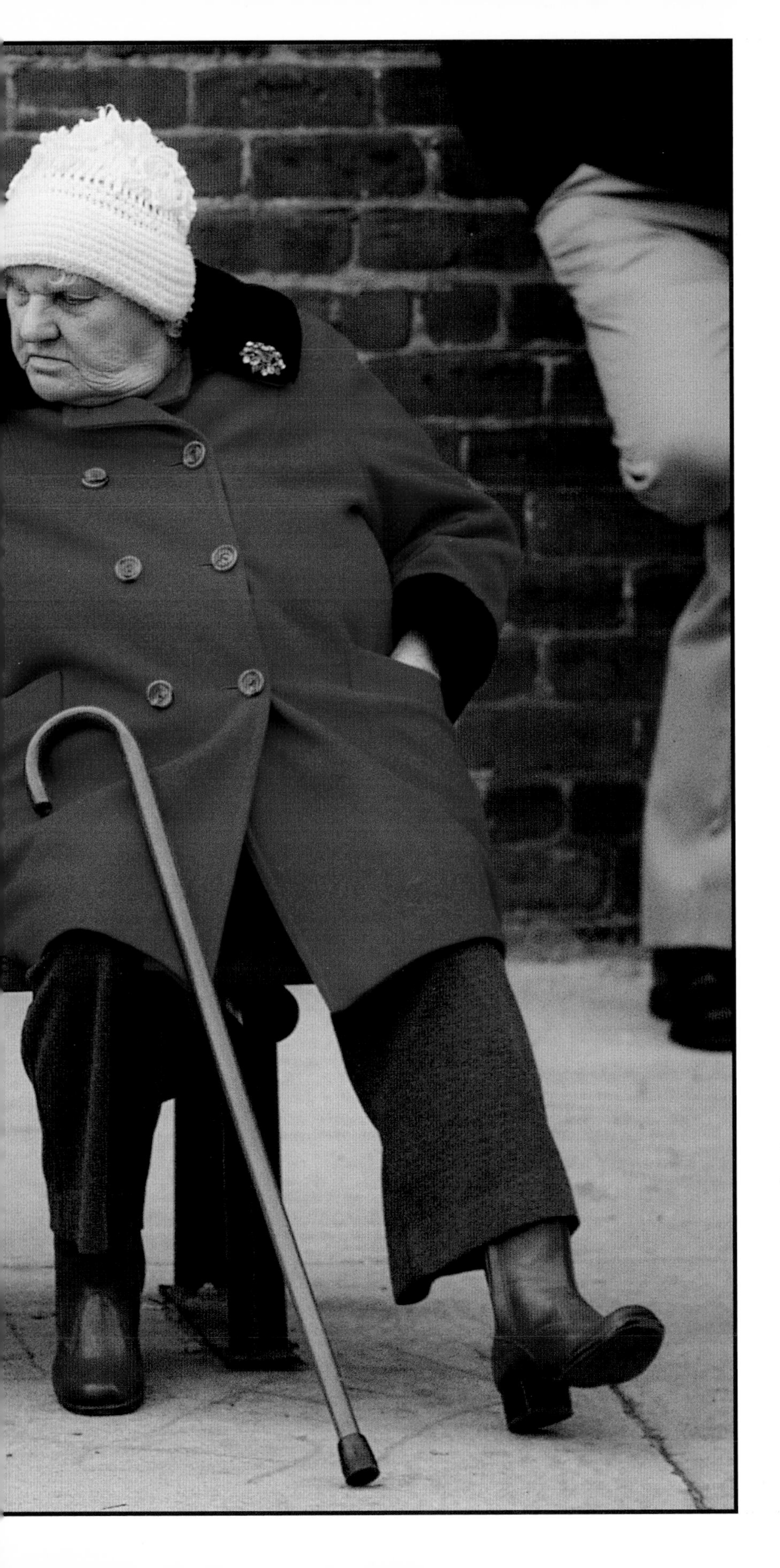

L'amitié fait le tour du monde

et nous convie tous à nous

réveiller

pour la vie heureuse.

[ÉPICURE]

© Darren Mejia-Olivares

© Reinhard David

© Bill Frantz

© Yorghos Kontaxis

© Katherine Fletcher

Les vrais amis

sont ceux qui lorsque vous faites le fou…

ne pensent pas que vous l'êtes en permanence.

[ERWIN T RANDALL]

© Peter Gabriel

© Bernard Poh Lye Kiat

© Robin Sparks Daugherty

© Lance Jones

© Seifollah Samadian Ahangar

© Hank Willis Thomas

© Jon Holloway

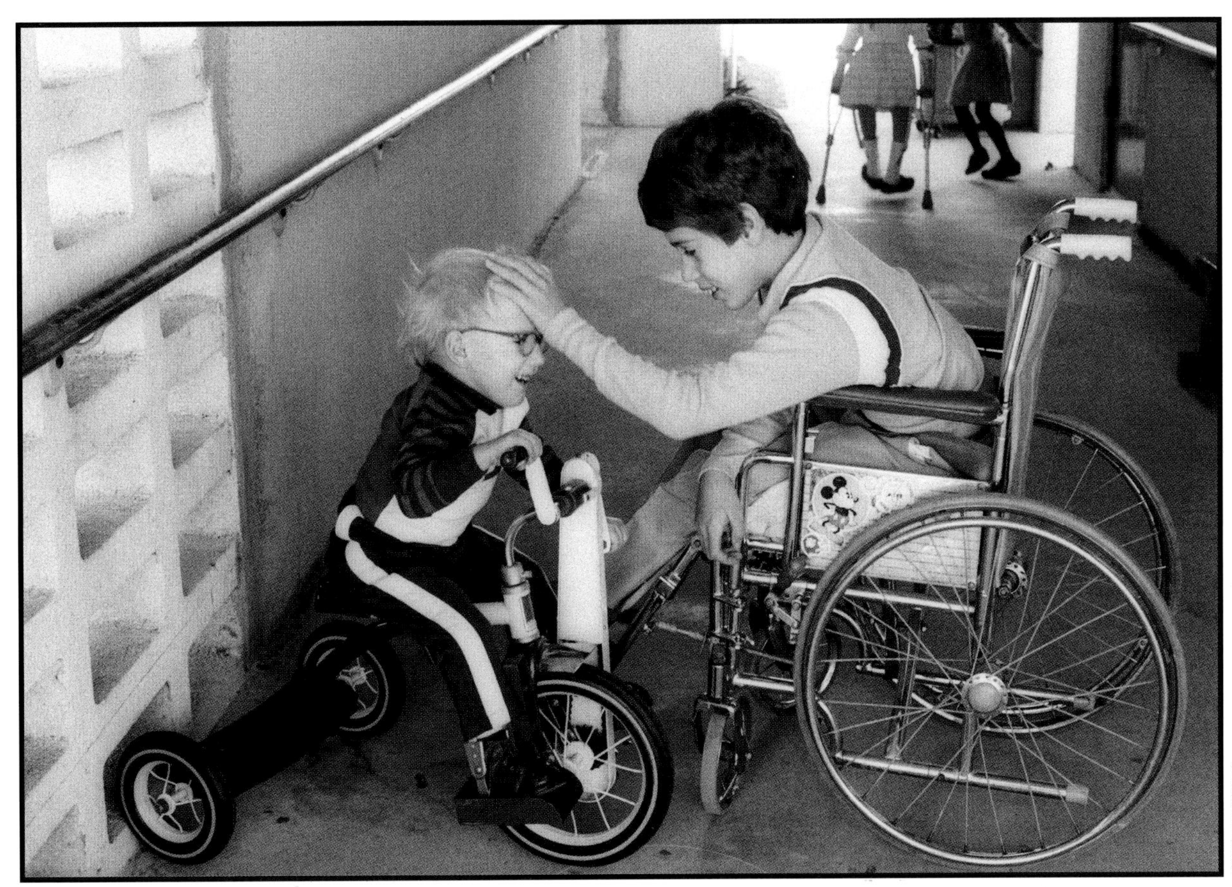

© Marianne Thomas

© Marianna Cappelli

© Tetsuaki Oda

© Rinaldo Morelli

Tourne-toi vers le **soleil**, l'ombre sera derrière toi.

[PROVERBE MAORI]

L'essentiel est invisible pour les yeux,

on ne voit bien qu'avec le cœur.

[ANTOINE DE SAINT-EXUPÉRY]

© Terry Winn

© Doreen Hemp

KRAGEN

Pour tomber, on se débrouille seul,

mais **pour se relever**

la main d'un ami est nécessaire.

[PROVERBE YIDDISH]

© Aris Pavlos

© Malie Rich-Griffith

Lakhani
SHOES

AMOUR

KIM PHUC

À cause de la tragédie du Vietnam, et d'une photographie, je suis devenue un symbole vivant de la guerre. En réalité, mon histoire, comme toutes celles que racontent les pages de ce livre, est faite d'amour. C'est l'histoire d'une image qui a le pouvoir de changer le cœur des hommes.

Il arrive souvent, lorsque je fais mes courses en famille ou que j'attends un avion à l'aéroport, qu'on m'aborde pour me demander si je ne suis pas la fille de la célèbre photo. Les gens me témoignent toujours de la curiosité et de la gentillesse. Ils agissent comme s'ils me connaissaient, même si je ne les ai jamais rencontrés. Parce qu'ils se souviennent d'une image : celle d'une petite fille qui court sur la route au Vietnam. Je leur réponds en souriant qu'en effet, c'est bien moi la fillette sur la photo. Alors ils commencent à me raconter leur propre histoire. Ils m'expliquent que cette photo a profondément changé leur vie. Qu'elle les a aidés à pardonner. Qu'elle leur a appris à aimer. C'est dans ces moments-là que j'en tire la plus grande fierté.

Mes plus lointains souvenirs sont remplis d'amour. L'odeur des plats que cuisinait ma mère, la grande maison que je partageais avec mes sept frères et sœurs, le sourire de mon grand-oncle, les arbres fruitiers de notre jardin, mes amis à l'école. Mon nom « Phuc » signifie « Bonheur », et c'est vrai que j'étais une enfant heureuse.

Mais soudain, tout a changé. La guerre a fait irruption dans notre village. Ma famille s'est réfugiée durant trois jours dans l'unique endroit « sûr » des environs, la pagode voisine. Lorsque les soldats se sont rendu compte que les avions allaient bombarder l'édifice sacré, ils n'en ont pas cru leurs yeux. Ils ont crié aux enfants de sortir. J'ai eu très peur et je me suis élancée sur la route avec mes cousins. Et puis j'ai vu quatre bombes. Tout à coup, tout a été recouvert de napalm et je me suis retrouvée prisonnière au milieu d'un épouvantable incendie. Mes vêtements, ma peau, tout a brûlé. Par miracle, mes pieds n'ont pas été touchés, alors j'ai pu continuer à courir. Je criais « ... nong qua, nong qua ! », « ça brûle, ça brûle ».

C'était le 8 juin 1972. J'étais petite. J'avais neuf ans.

Ce jour-là, Nick Ut, qui travaillait pour Associated Press, m'a photographiée sur la route. Le destin nous a réunis l'espace d'un instant – instant tragique, terriblement fort.

Le lendemain, ma photo faisait la une des journaux dans le monde entier. L'opinion publique était sous le choc. Elle découvrait une enfant innocente prise dans la violence d'une guerre dont elle ne savait rien. Cela signifiait qu'en temps de guerre, il n'y a plus aucun refuge. Cette image a changé la façon de voir le conflit du Vietnam et toutes les autres guerres. On s'en souvient, le cliché a remporté le prix Pulitzer, mais il y a plus important : le photographe m'a sauvé la vie. Nick Ut ne s'est pas contenté de faire son travail ; par-delà le reporter, il y a eu un être humain qui est venu en aide à un autre être humain. Après avoir pris sa photo, il a posé son appareil pour m'emmener au plus vite à l'hôpital le plus proche. C'était un acte d'amour.

***

Quand mon ami me demande ce que le mot amour évoque pour moi, je réponds : l'amour de Dieu, parce que Dieu a changé ma vie. L'amour de ma famille, l'amour des médecins qui m'ont soignée. L'amour de la liberté et du pardon. L'amour maternel, l'amour filial – il est si beau, si fort, si joyeux. L'amour d'un homme bien. L'amour de l'océan, du froid, parce qu'il me soulage lorsque ma peau me fait souffrir. L'amour des pommes, du rire, de la prière. L'amour du rose. L'amour de la rencontre, surtout avec les jeunes, partout. Ils sont notre espoir, notre avenir. L'amour des choses sérieuses, l'amour des choses amusantes...

Dans certaines images de ce livre, je revois mes propres parents, qui vivent avec nous au Canada. Eux aussi sont désormais des grands-parents. Peu importe que les grands-parents de ces photos viennent comme eux du Vietnam du Sud ou de Mongolie ou encore d'Afrique. Lorsque j'ai montré certaines des photos de ce livre à mon fils de deux ans, sa réaction a été immédiate. Il s'est écrié « Grand-mère ! Grand-père ! » en montrant les personnages du doigt, comme s'il les reconnaissait. Il y a des amoureux et des amis très proches, originaires de nombreux pays, qui nous ouvrent leur cœur. Certains se tiennent dans une embrasure de porte, d'autres se déplacent en métro, comme cela m'arrive aussi parfois. En lisant dans leurs yeux, on imagine très bien ce qu'ils ressentent. Comme ces gens qui m'abordent dans la rue, j'ai envie de leur demander : « Ce ne serait pas vous, vous savez, la mère, sur cette photo ? Je vous connais ! »

Ces photos me rappellent de mauvais mais aussi de bons souvenirs : le visage de mon père durant les mois qu'il a passés à mon chevet à l'hôpital ; je ne pouvais pas parler et il était persuadé que j'allais mourir. Durant mes études universitaires à Cuba, mes promenades nocturnes sur le Malecon, main dans la main avec mon petit ami que je venais de rencontrer. La naissance de mes deux trésors, mes fils Thomas et Stephen. Des images qui évoquent la confiance, le rire, les adieux aux amis sur un quai de gare. Quand je les regarde, ces photos remuent mes propres souvenirs, alors je les trouve attachantes.

À mon avis, pour avoir fait des images aussi belles, les photographes qui ont pris ces clichés sont des êtres emplis de compassion. Il faut aimer les gens pour réussir de telles photos. Je pense que, comme Nick Ut, ils n'hésiteraient pas à poser leur appareil pour secourir les autres.

La photographie qui figure page 324 me touche particulièrement. Elle représente un enfant chauve et son infirmière. Il s'agit probablement d'un enfant atteint du cancer. L'infirmière l'embrasse tendrement. Ce pourrait être mon infirmière, Hong, qui m'a tant aimée. Moi non plus je n'avais plus de cheveux lorsque j'ai été soignée à la clinique des grands brûlés de Saigon. En plus, je ne pouvais pas porter de haut, à cause de mes brûlures sur le torse. Le napalm, c'est du carburant gélifié, c'est cruel. Ça brûle profondément, bien plus que l'eau bouillante.

Durant ma convalescence, mes parents venaient me voir tous les jours. Ils m'aidaient à plier les doigts. Tout doucement, parce que j'avais la main gauche paralysée, comme une serre, et je ne pouvais pas du tout la bouger. Ensuite, ils me massaient le dos pour stimuler la circulation du sang. Lorsque je refusais de faire mes exercices – parce qu'ils me faisaient trop mal – ma mère me disait : « Kim, si tu ne veux pas rester handicapée, il faut faire tes exercices. » J'aimais ma mère, alors je lui obéissais.

À l'école, je mourais d'envie de porter des chemisiers à manches courtes comme les autres petites filles. Souvent, je tendais les bras devant moi pour les regarder. Mon bras droit était parfait, très joli ; mais mon dos et mon bras gauche étaient couverts de cicatrices et tout déformés. Alors je me demandais pourquoi ça m'était arrivé à moi. Je voulais tellement être « normale ». Une fois, j'ai surpris la conversation d'un groupe de filles qui parlaient d'un garçon de la classe. Il était beau mais il avait une brûlure à la main. L'une des filles a dit qu'elle ne pourrait jamais sortir avec lui, à cause de ses cicatrices. Pourtant, elles étaient insignifiantes ! Ça n'était rien comparé aux miennes. Vous ne pouvez pas imaginer à quel point ces mots m'ont fait mal.

J'étais convaincue qu'aucun garçon ne voudrait jamais m'aimer ni se marier avec moi à cause de mes cicatrices.

Quand le gouvernement m'a finalement accordé l'autorisation, en 1986, de suivre des études d'anglais et d'espagnol à l'université de La Havane, je suis partie à Cuba. Là-bas, j'ai rencontré Toan, un étudiant originaire du Vietnam du Nord. On est sortis ensemble. Amour romantique. Amour conjugal. Quand je vois ces photos, ça me fait sourire. Je me souviens de l'époque, quand j'étais plus jeune, où je pensais qu'aucun homme ne pourrait m'aimer à cause de mes cicatrices. J'avais bien tort. Toan et moi, nous sommes tombés amoureux et nous nous sommes mariés. En septembre 1992, nos amis nous ont offert un magnifique mariage à La Havane.

Dans cet ouvrage, il y a aussi des images qui illustrent la confiance. Laissez-moi vous raconter une merveilleuse anecdote à ce propos. Avec mon mari, nous avons obtenu l'autorisation de nous rendre à Moscou pour notre lune de miel. J'avais entendu dire qu'il était possible de passer au Canada au retour, lorsque l'avion faisait escale à Gander, sur Terre-Neuve, pour se ravitailler en kérosène. Nous sommes restés une heure dans le hall de transit. Une éternité. Toutes nos affaires personnelles, sauf les quelques photos rangées dans mon portefeuille – vous voyez à quel point les photos sont importantes pour moi – étaient restées dans l'avion. Nos amis, nos études, tout était à Cuba.

Je me demandais bien comment on faisait pour passer à l'Ouest. Alors j'ai prié. « Dieu, aide-moi. Montre-moi la voie à suivre. » Lorsque j'ai rouvert les yeux, j'ai vu une porte en verre entrebâillée. Derrière, il y avait un petit groupe de Cubains qui voyageaient dans le même avion que nous. Ils discutaient avec un agent des services de l'immigration canadiens. J'ai saisi ma chance. « Toan, vite, donne-moi ton passeport », lui ai-je dit tout bas. C'est ce qu'il a fait. Sans rien demander.

Ça, c'était du courage, de l'amour pur.

Il y a huit ans que nous avons effectué ce voyage vers la liberté. C'est une histoire que nous raconterons à nos enfants. Quand nous sommes arrivés ici, nous n'avions rien. Mais on était ensemble et nous étions libres. Alors, il ne nous manquait rien.

Je suis une personne réservée. Longtemps, après m'être enfuie au Canada, j'ai voulu oublier cette photo. Elle m'avait suivie partout et je voulais simplement vivre ma vie privée en toute tranquillité, dans mon nouveau pays, avec ma famille. Mais elle m'a poursuivie. Des journalistes anglais, de Londres, m'ont retrouvée. À cette époque, une amie très chère, Nancy Pocock, « Maman Nancy », a joué un rôle important dans ma vie. Elle m'a aidée à comprendre que si je ne pouvais pas échapper à cette photo, je devais m'en servir – au profit de la paix. Finalement, je l'ai acceptée comme un magnifique cadeau. Elle faisait partie du plan que Dieu avait prévu pour ma destinée.

À cause de cette photo, on m'a demandé d'apporter mon concours au Mouvement pour la paix. En 1997, j'ai été nommée ambassadrice de bonne volonté pour l'UNESCO et je continue d'œuvrer pour la paix. Grâce à cette photo, j'ai voyagé dans le monde entier, dans nombre de pays où les images d'amour de ce livre ont été prises – en Irlande, en Corée, en Nouvelle-Zélande et en France. J'ai rencontré des présidents, des premiers ministres, de grandes figures du milieu des affaires, des musiciens célèbres et de merveilleuses personnes anonymes. Et j'ai appris une chose vraie. Le cœur de l'homme est bon. Partout, les gens veulent la paix. Ils veulent trouver une solution pour mettre fin à la guerre et pouvoir élever leurs enfants dans un monde pacifique.

Ma photo est due aux hasards de l'Histoire : un photographe qui se trouvait sur cette route. Mais, jamais je n'oublierai les millions d'innocentes victimes qui n'ont pas eu la chance de croiser un photographe pour témoigner de leur souffrance. Jamais je n'oublierai les enfants, surtout. C'est pour cette raison que j'ai créé la Fondation Kim, une organisation humanitaire qui aide les enfants victimes de la guerre. Il en existe deux antennes, l'une à Chicago, l'autre à Toronto.

Il y a quelques années, je me suis rendue devant le monument aux morts des vétérans du Vietnam à Washington D. C. J'ai vu les noms de tous ceux qui sont morts dans cette guerre. Morts pour quoi ? Pourquoi ont-ils dû souffrir ? De nombreux vétérans de la guerre sont venus me parler. Un en particulier. Il est sorti de la foule pour se présenter. Il s'appelait John Plummer et il avait participé à l'organisation de l'attaque sur mon village, Trang Bang, le jour où j'ai été brûlée. Il m'a dit qu'il ne se l'était jamais pardonné et que cela avait détruit sa vie. Il m'a demandé de lui pardonner, et je l'ai fait. Je pense que lui aussi a été une victime, comme moi. Ce sont de véritables instants d'amour.

Je crois que nous sommes tous des créatures de Dieu, que nous sommes nés avec une immense capacité à faire la paix. Le livre que vous tenez entre vos mains témoigne de l'amour dont l'humanité est capable. Avec tant d'amour, il devrait être facile de faire la paix. Nous devons commencer au sein de notre propre famille, puis sur notre lieu de travail et enfin à l'échelle de la nation.

Les souvenirs dont je vous ai fait part ont resurgi en voyant les photos présentées dans cet ouvrage. Lorsque vous regarderez ces images à votre tour, profitez des souvenirs qu'ils évoqueront pour vous. Créez votre propre mémoire pour l'avenir.

Souvenez-vous de la force qu'une photo peut avoir. Plus forte que toutes les bombes. Aussi forte que l'amour.

Kim Phuc

Propos recueillis par Anne Bayin (Toronto, Canada)
et traduits par Françoise Fauchet (Paris, France).

Comment pourra-t-on jamais expliquer en termes de physique et de chimie
un phénomène biologique aussi important que le **premier amour ?**

[ALBERT EINSTEIN]

© Tommy Agriodimas

© Tino Soriano

Herald Sun

© Harvey Stein

© Tzer Luck Lau

Aime, et fais ce que tu veux !

[SAINT AUGUSTIN]

Partons, dans un **baiser,** pour un monde inconnu.
[...]
Partons, nous sommes seuls, l'**univers** est à nous...

[ALFRED DE MUSSET]

IND - 72
3268 A
TRUCK 7

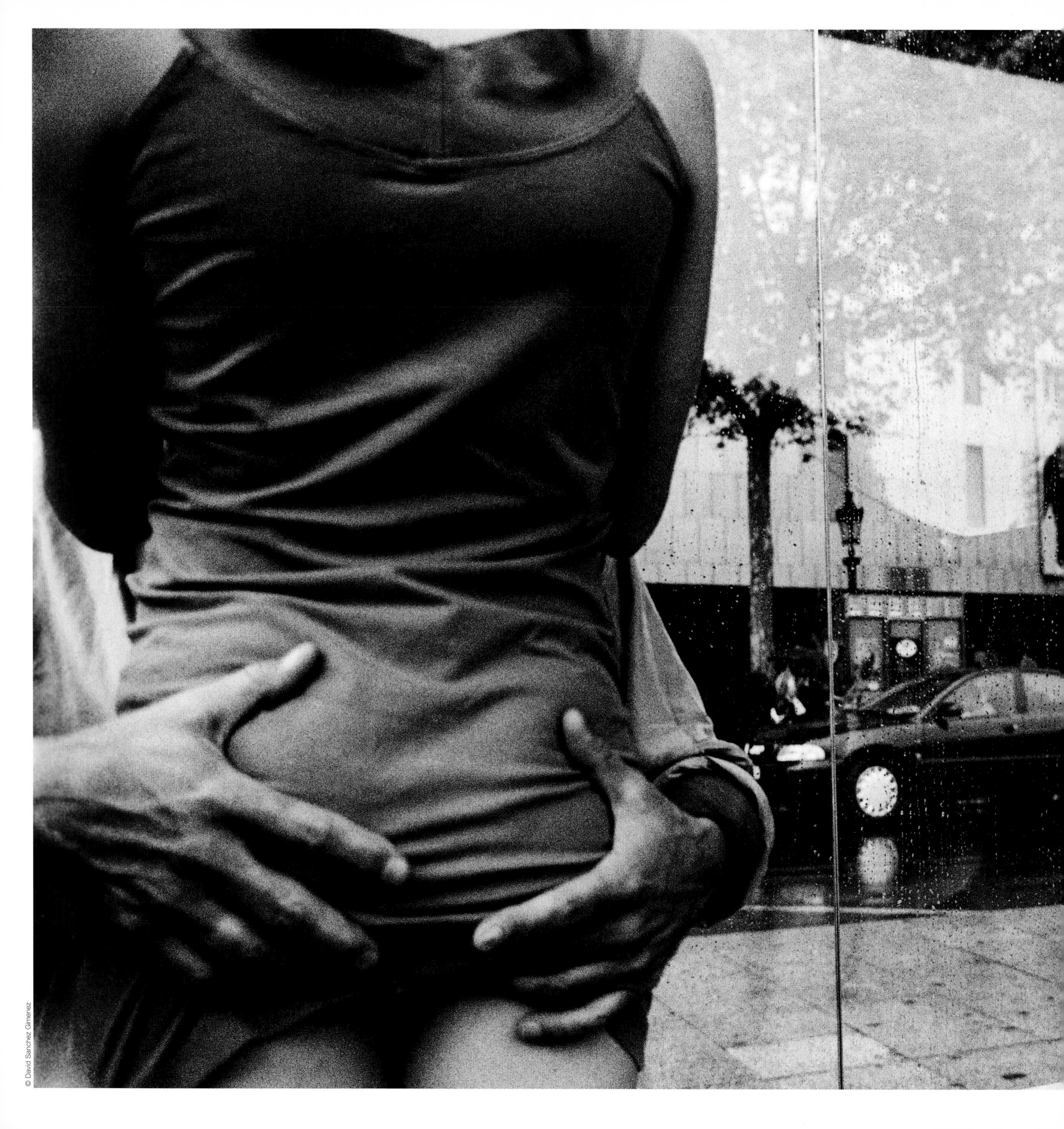

CONTENIDOS
BOLSALINE
906 30 30 30

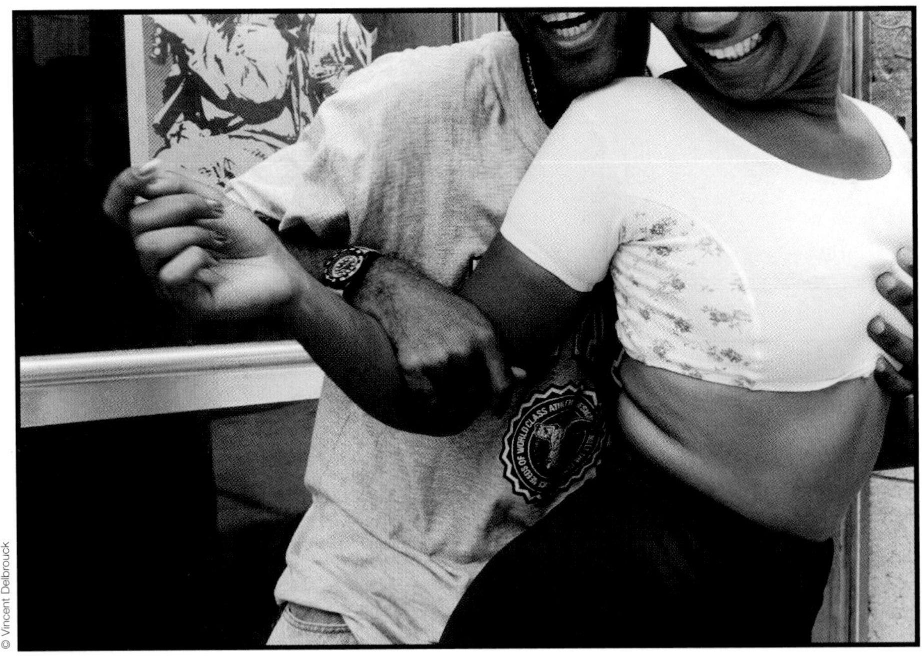

© Vincent Delbrouck

© Gundula Schulze-Eldowy

© Evžen Sobek

© Ivan Coleman

Éternité est l'anagramme

d'étreinte.

[HENRI DE MONTHERLANT]

© Melissa Mermin

© Alan Berner

Il y a une saison pour toute chose,

un temps pour tout sous les cieux :

un temps pour naître...

[ECCLÉSIASTE 3]

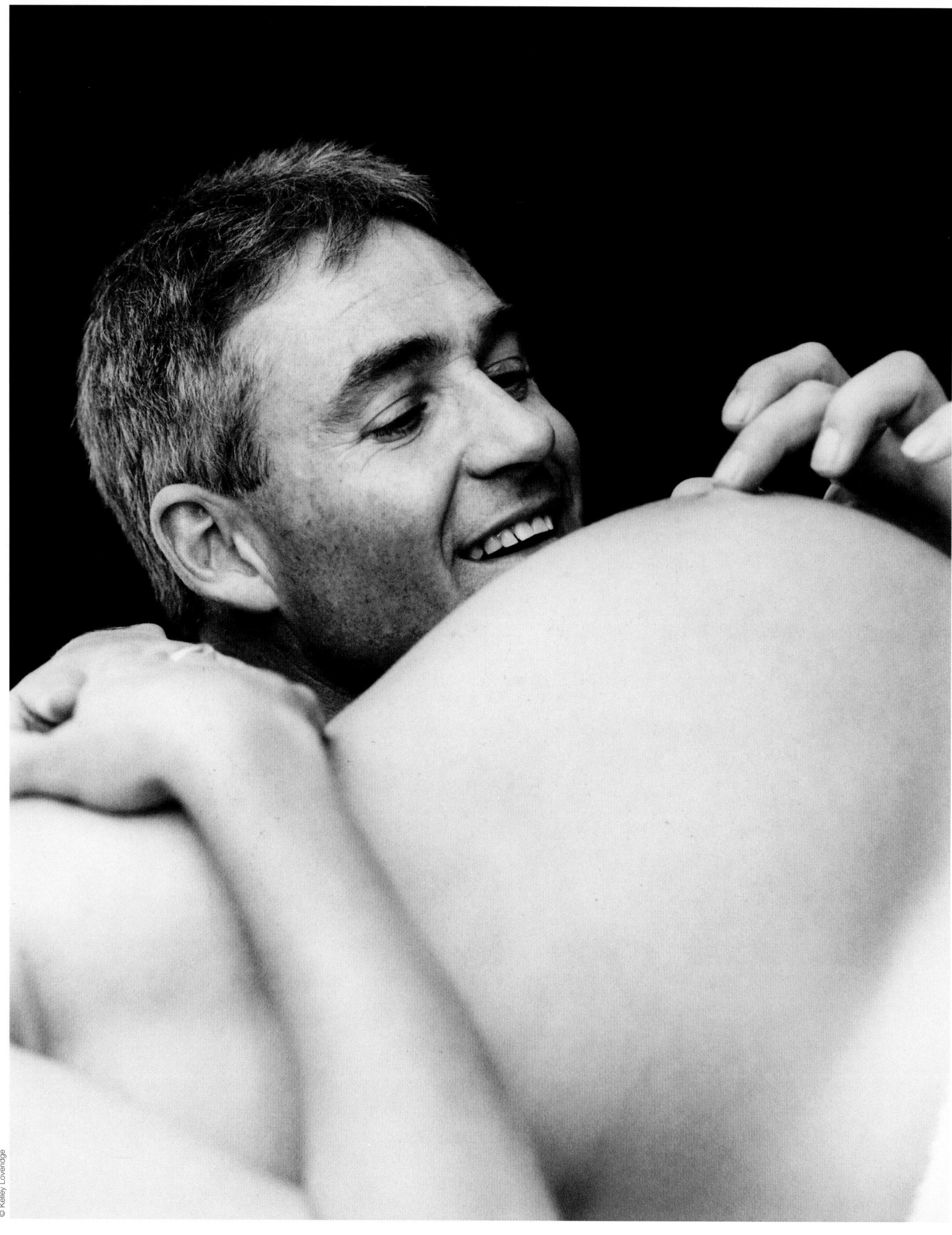

© Tatiana D Matthews

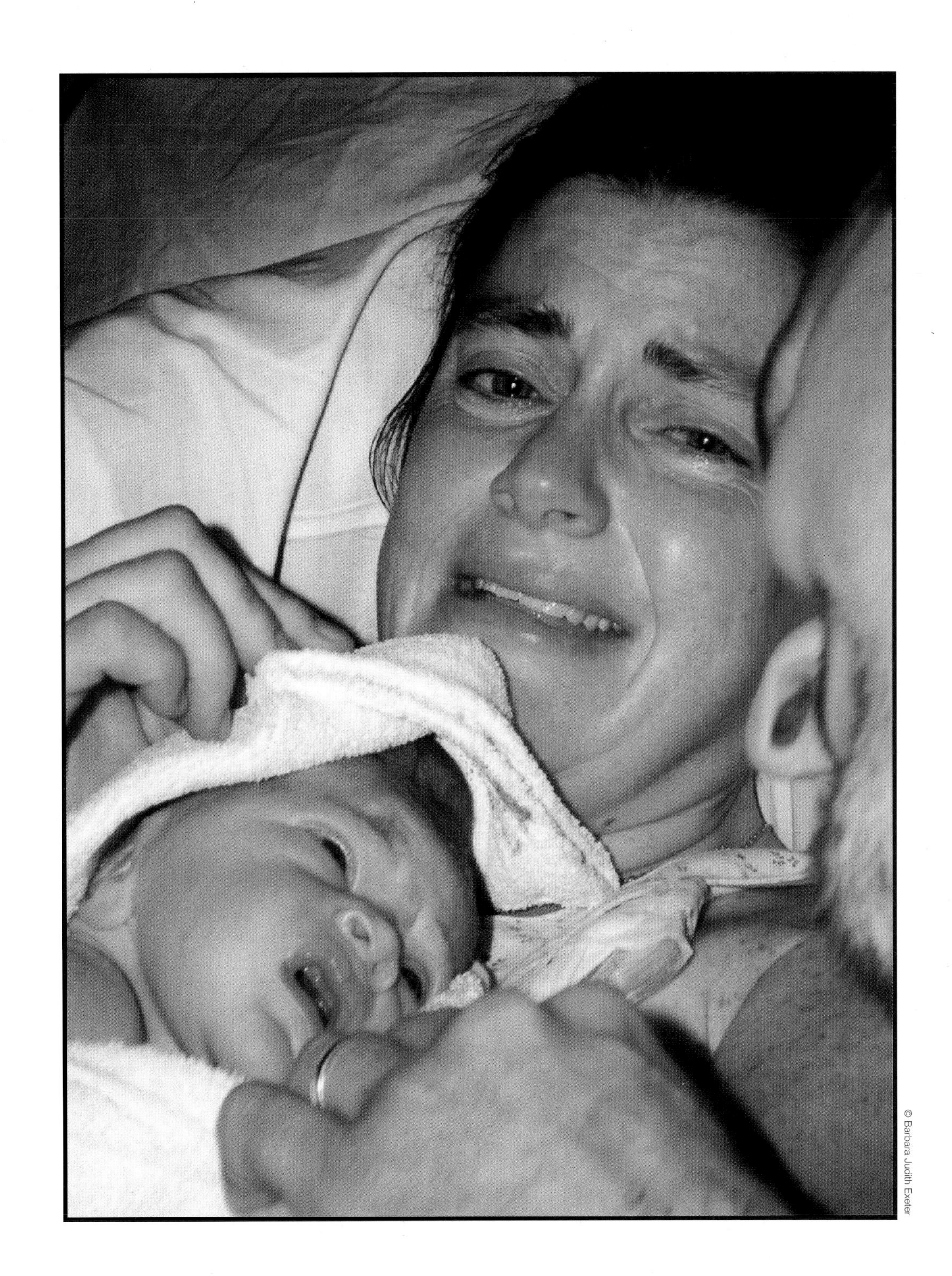

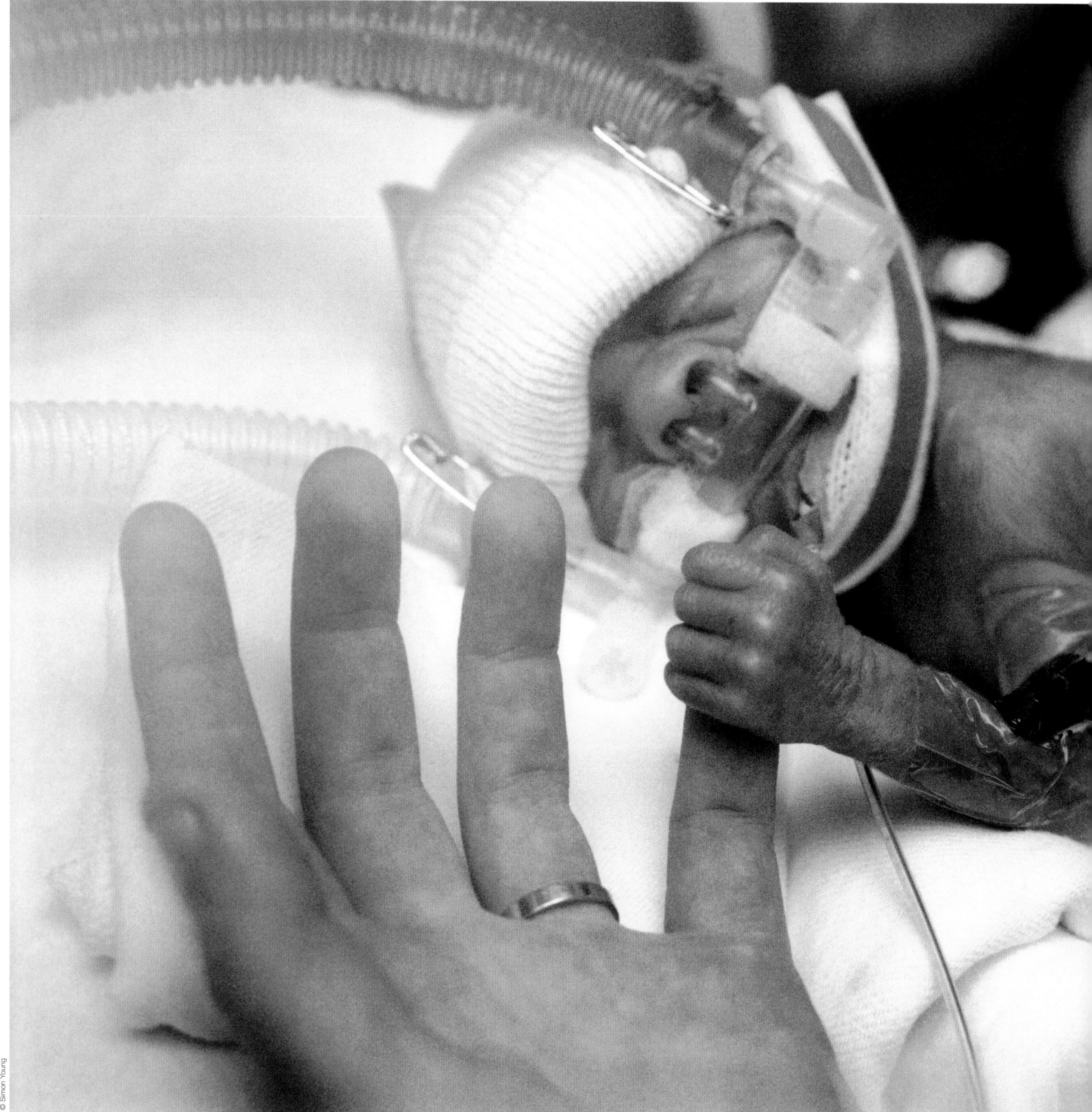

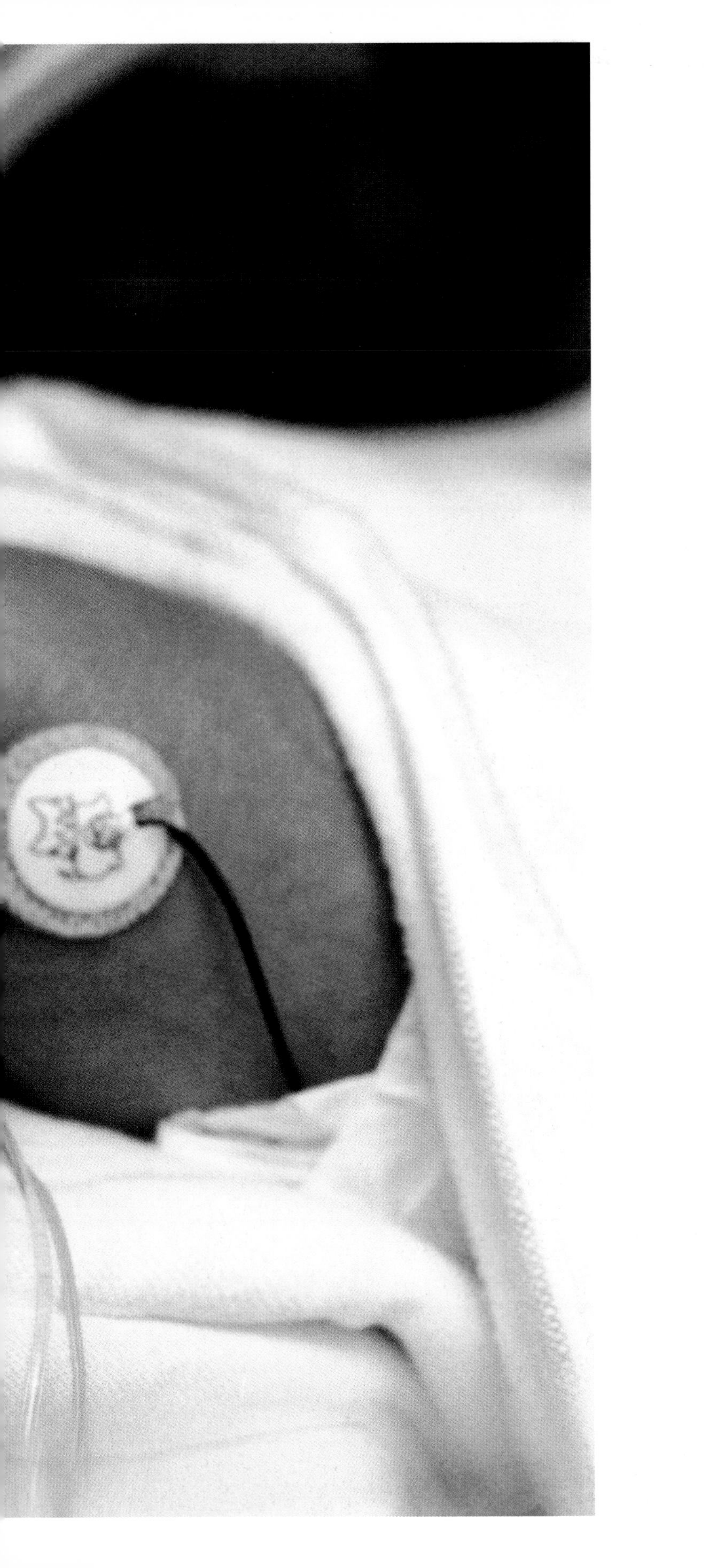

À quoi l'amour vous fait-il penser ?

L'amour d'une mère,

l'amour pour les enfants

– si beau, si fort, si plein de joie.

[KIM PHUC]

Avant de te concevoir,

je te désirais déjà.

Avant que tu naisses,

je t'aimais déjà.

Avant que tu n'aies une heure,

j'aurais pu mourir pour toi.

C'est le miracle de la vie.

[MAUREEN HAWKINS]

© Venkata Sunder Rao Pampana

Je ne l'aime pas parce qu'il est gentil,

mais parce que c'est **mon enfant.**

[RABINDRANATH TAGORE]

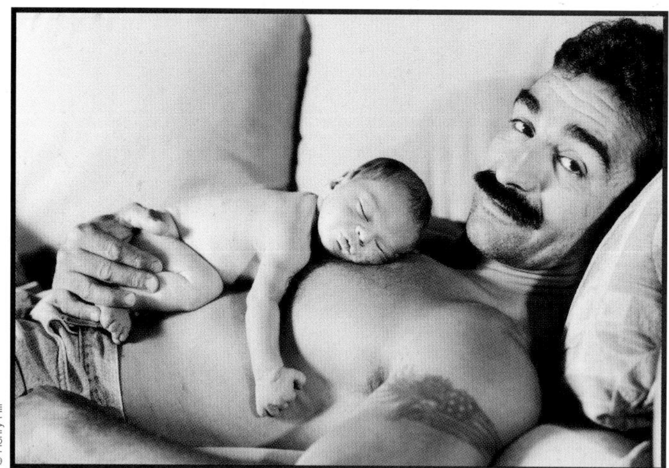

© Henry Hill

© Shannon Eckstein

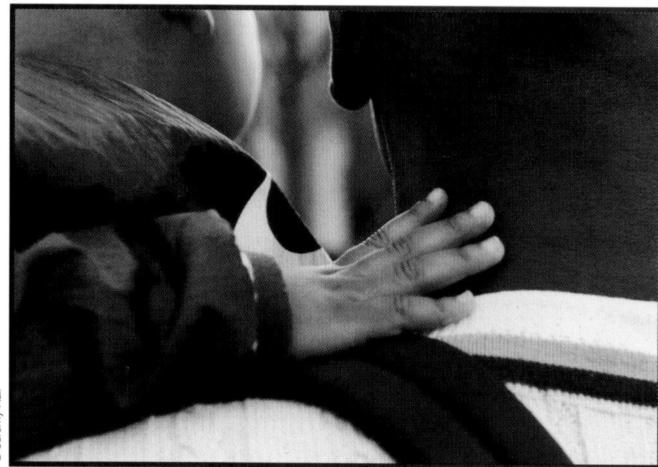

© Jeremy Rall

© Linda Heim

© Jarek Kret

© Binode Kumar Das

Le cœur de l'homme est bon. Partout, les gens veulent la paix.

Ils veulent trouver le moyen de mettre fin aux guerres

et d'élever leurs enfants dans un monde de paix.

[KIM PHUC]

© Lloyd Erlick

© Mikhail Evstafiev

BIG KAHUNA

© Robert Billington

© Marc Rochette

© Lynn Goldsmith

L'enfance est innocence mais aussi négligence, c'est un recommencement,

un jeu, une roue libre, un premier mouvement, un oui sacré.

[FRIEDRICH NIETZSCHE]

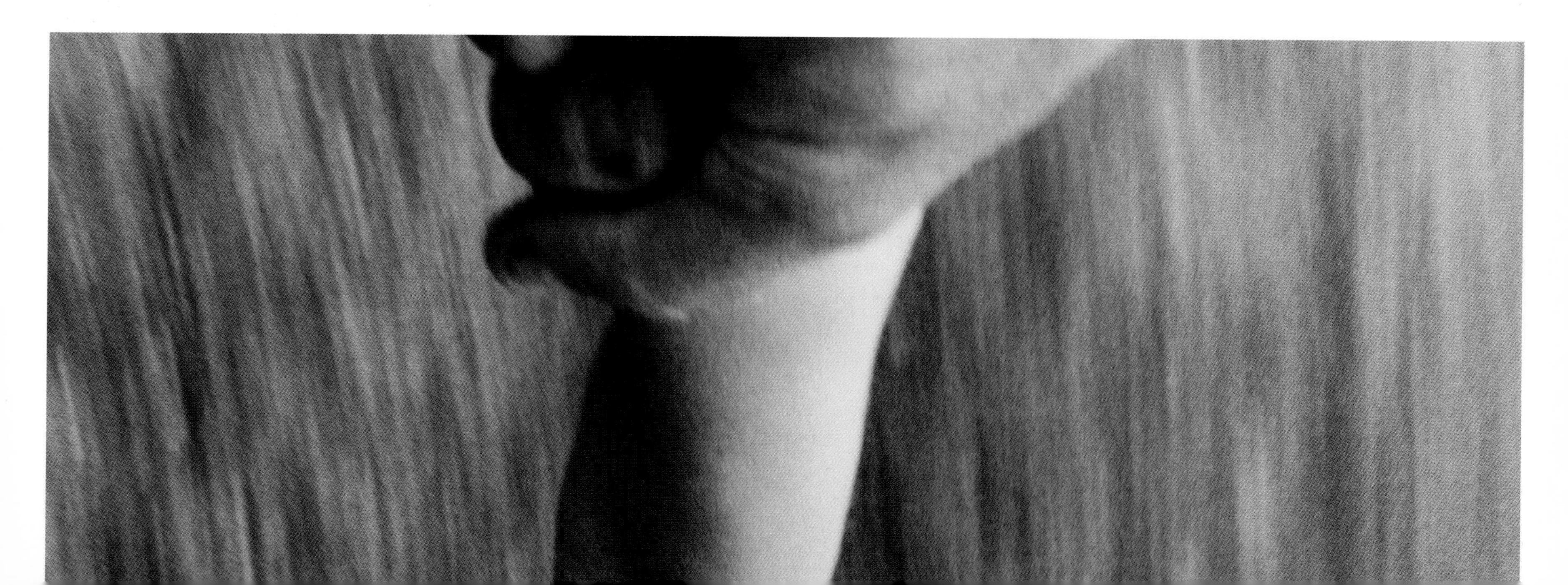

Il n'y a pas d'amour, il n'y a que des **preuves** d'amour.

[OGDEN NASH]

© George Peirce

© Jacqueline Parker

Avoir où aller, c'est avoir un **foyer.**

Avoir **quelqu'un** à aimer, c'est avoir une famille.

[DONNA HEDGES]

© Lydia Linda Ruscitto

© Jia Lin Wu

© Peter Van Hoof

Il n'y a pas plus grand miracle

que de voir naître un enfant.

Il n'y a pas plus grande conquête

que d'apprendre à lire à un enfant de six ans.

Il n'y a pas plus grande force au monde

que le souffle chaud d'une vieille grand-mère édentée.

[JAMES MCBRIDE]

© Katharina Westerik

© Devang Prajapati

© Kamthorn Pongsutiyakorn

© John Siu

Seul **l'amour** apporte la guérison.

[MÈRE TÉRÉSA]

Car l'amour est fort comme la mort,

La passion est violente comme l'enfer.

[CANTIQUE DES CANTIQUES]

© Sergey Denisov

ALL SAINTS

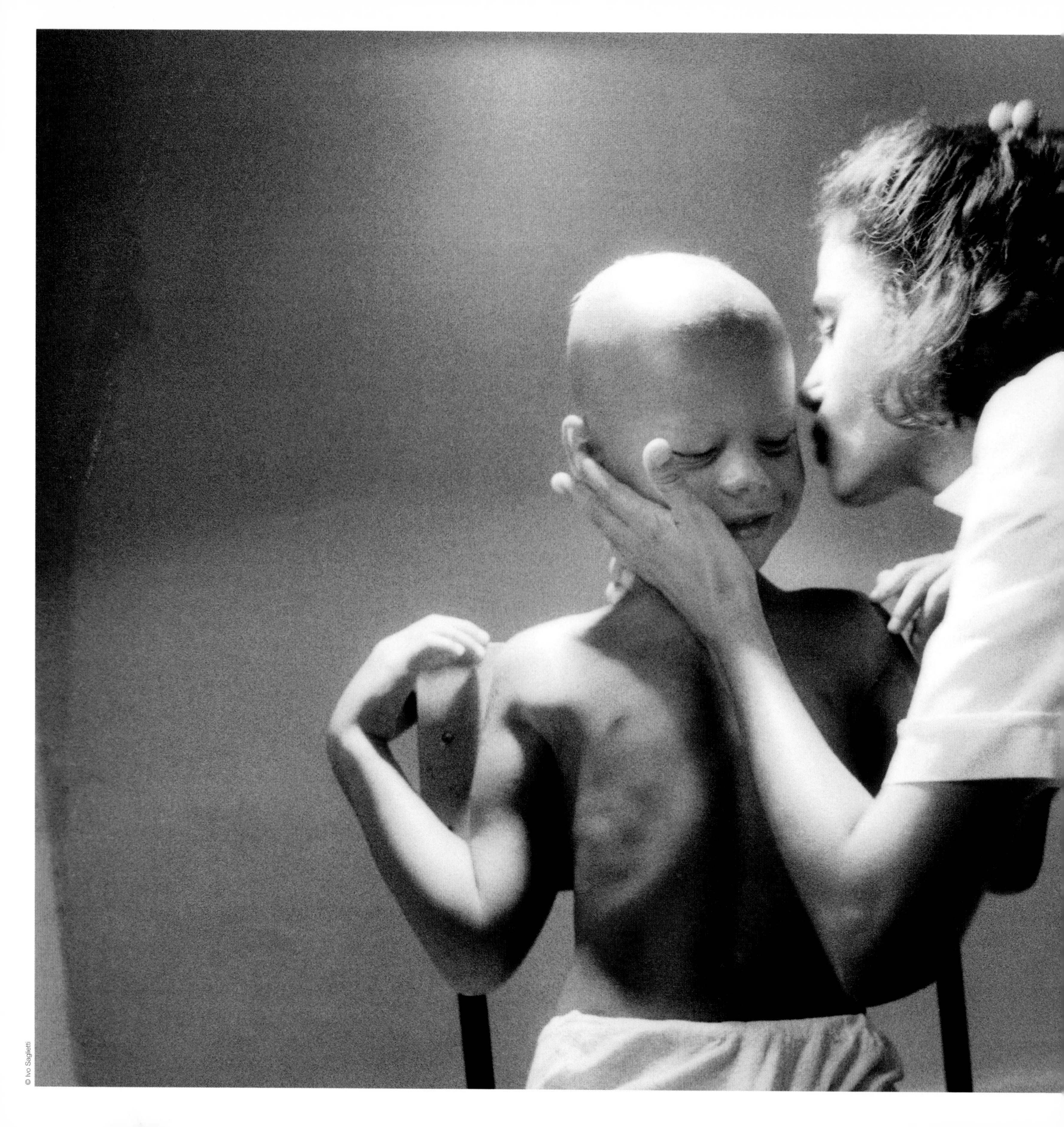

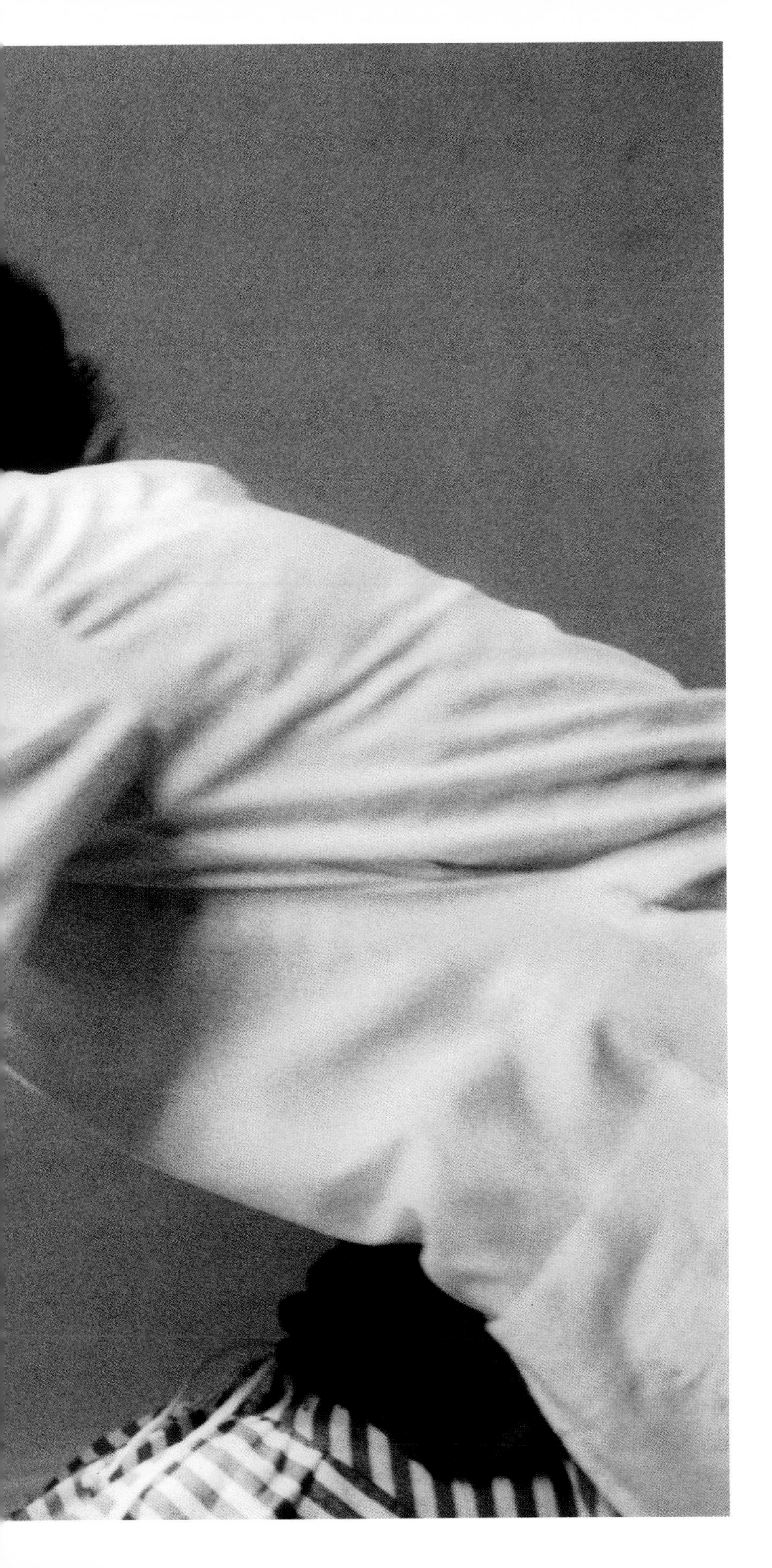

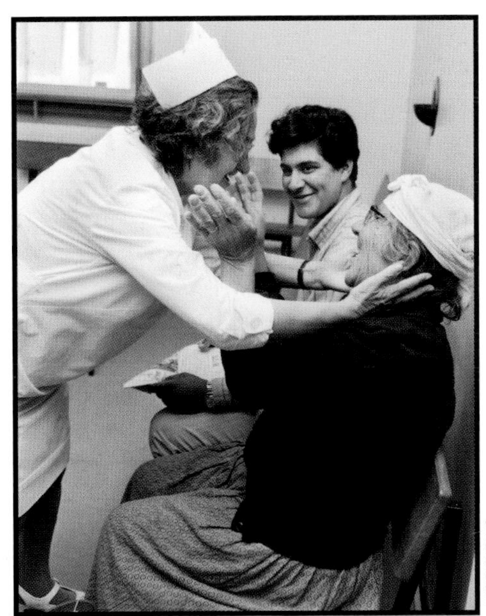

« Mon meilleur ami, Tim Caravello, souffrait d'un cancer du cerveau.

Durant ses dernières semaines de soins à domicile, son épouse, Linda,

m'a demandé de photographier ces moments intimes

– ces moments durant lesquels on dit quantité de choses par simple contact et où chaque instant est précieux.

C'est le dernier acte de l'amour éternel. »

[JACK DYKINGA]

© Karen Maini

© Patrick Hamilton

Un baiser légal ne vaut jamais un baiser volé.

[GUY DE MAUPASSANT]

© Sam Devine Tischler

© Al Lieberman

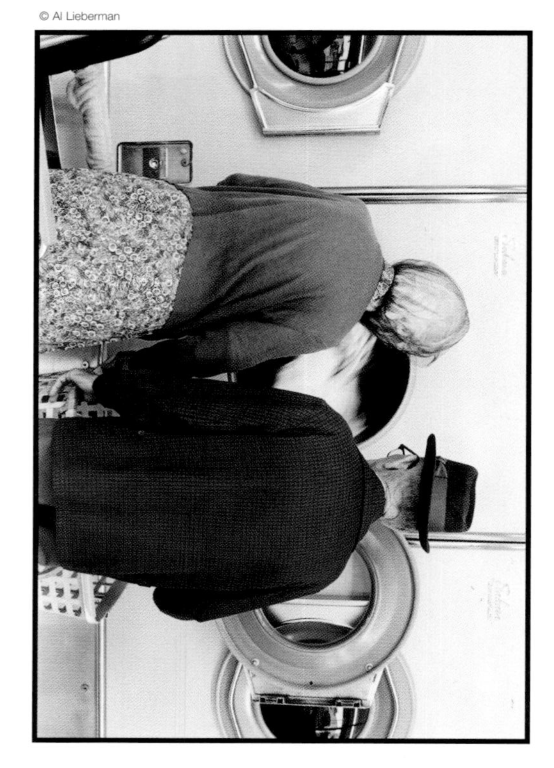

Le coup de foudre est facile à comprendre.

Mais c'est quand deux personnes se regardent depuis des années que cela devient un miracle.

[SAM LEVENSON]

© Sam Tanner

© José Caldas

DUE TO OL
AGE AND A
NAGGING
WIFE I WIL
CLOSE
MONDAYS

© Romualdas Požerskis

Vivre sans amis,
c'est mourir sans témoin.

[GEORGES HERBERT]

Il n'y a rien de plus beau que l'amour
qui a surmonté les tourments de la vie.

[JEROME K JEROME]

© Gary Freeman

© Steven G Smith

© Marice Cohn Band

Il n'y a qu'une seule chose qui résiste, c'est la passion.

[JULIE DE LESPINASSE]

© Y Nagasaki

Si vous vous penchez sur votre passé,

vous réaliserez que les moments les

plus intenses sont ceux où vous

avez agi par amour.

[HENRY DRUMMOND]

LES PHOTOGRAPHES

ET LEURS ŒUVRES

Michael Agelopas
États-Unis

Né dans le Maryland, Michael Agelopas a été initié à la photographie par son père. Il est photographe professionnel depuis vingt ans.

[Page 41] – Sur l'île de Chios, en Grèce, cinq sœurs partagent un banc du village. Par hasard ou par habitude, elles se sont assises en ordre chronologique.

Nikon F3, 135 mm, Kodak Kodachrome/135, Exp. f8-1/60

Christophe Agou
États-Unis

Français d'origine, Christophe Agou vit désormais à New York. Il a étudié la musique et les langues avant de se lancer dans la photographie en 1990. Après avoir fréquenté le Centre International de la Photographie à New York, il s'est spécialisé dans le reportage. Ses photos, qui lui ont valu de nombreux prix, sont parues dans des livres, des journaux, des magazines et figurent dans des collections privées.

[Pages 250 & 251] – Seuls au monde - Dans un wagon de métro bondé de New York, aux États-Unis, ces jeunes amoureux n'ont d'yeux que l'un pour l'autre.

Leica M6, 35 mm, Agfa Scala/135, Exp. f1.4-1/125

Tommy Agriodimas
États-Unis

Tommy Agriodimas est en terminale à Chappaqua dans l'état de New York. Passionné de photographie, il assiste à tous les cours que son établissement dispense dans cette discipline.

[Page 249] – Une jeune fille suit des yeux un beau jeune homme qui passe dans une rue ensoleillée d'Apithia, en Grèce.

Nikon N90S, 28–200 mm, Kodak Tri-X/135, Exp. non communiquée

Kris Allan
Royaume-Uni

Photographe autodidacte, Kris Allan, a réalisé son premier reportage à la prison de Wandsworth, à Londres. Ses travaux ont été exposés en divers lieux, notamment à l'ICA de Londres et à l'institut néerlandais de photographie de Rotterdam.

[Page 61] – Père et fils sur le terrain de foot de Hove, en Angleterre.

Olympus OM1N, 50 mm, Kodak Tri-X 400/135, Exp. non communiquée

Krassimir Andonov
Bulgarie

Krassimir Andonov est né en Bulgarie et a fait des études à l'Académie nationale de théâtre et de cinéma de Sofia. Il enseigne à présent la photographie à cette même Académie, et est membre de l'Union des cinéastes de Bulgarie. Krassimir a obtenu en 1995 le premier prix du concours de photos Déclic à Paris et en 1998 le premier prix du concours Coca-Cola en Bulgarie.

[Page 191] – Note d'humanité – une vieille femme protège un chien perdu du froid matinal tout en balayant un trottoir à Sofia.

Nikon EM, 100 mm, Kodak T-max/135, Exp. f4.5-1/60

Marcy Appelbaum
États-Unis

Marcy a obtenu un diplôme de photographie avec mention au Centre d'études photographiques du Sud-Est à Daytona, en Floride. D'abord engagée par divers journaux, puis indépendante depuis 1993, elle est l'une des lauréates du concours Communications Arts.

[Pages 56 & 57] – À Jacksonville, en Floride, la petite Rachel, 2 ans, veut voir si son nombril ressemble à celui de son père.

Nikon N90, 35 mm, Kodak Tri-X/135, Exp. f2-1/30

[Page 346] – Aaron, 90 ans, et son épouse Bertie, 78 ans, photographiés dans leur maison de Rego Park, à New York.

Nikon FE2, 2/35 mm, Kodak Tri-X/135, Exp. f2-1/30

Kostas Argyris
Grèce

Au cours de ses études à l'université Aristote de Thessalonique, Kostas Argyris s'est intéressé à la photographie et à la production télévisée. Il est photographe indépendant depuis 1986. Il a été cinq ans photographe résident de la république théocratique du Mont-Athos où il a assuré la charge de conservateur des archives. Kostas est membre fondateur de l'agence photo Phaos.

[Page 192] – Ce convive grec ne peut réprimer un bâillement après un repas de poisson, à Thessalonique.

Contax 167 MT, Kodak Tri-X/135, Exp. f5.6-1/60

Stefano Azario
Royaume-Uni

Stefano Azario est un photographe de renommée mondiale, connu pour son travail sur les enfants. Ses photos ont fait la couverture de *Vogue Bambini*, et ont illustré les campagnes de publicité de Gap Kids et de Baby Gap. Également reporter, il travaille notamment pour le magazine Traveller des publicatins Condé Nast.

[Page 44] – Telle mère, telle fille : dans l'un des aéroports de New York, Verity, 9 mois, et sa mère Lydzia profitent de leurs derniers instants de jeu avant le long vol qui les ramènera en Angleterre.

Konika Hexar, 35 mm, Kodak Tri-X/135, Exp. non communiquée

Steven Baldwin
États-Unis

Steven Baldwin est photographe semi-professionnel. Venant de New York, il vit à présent à San Francisco.

[Page 102] – Standing ovation – une famille réunie pour un dîner dans une rue du village de Pisoniano, près de Rome, applaudit l'un des siens qui vient de chanter une chanson populaire.

Leica M4-P, 35 mm, Kodachrome 64/135,Exp. f4-1/2

Marice Cohn Band
États-Unis

Marice Cohn Band a obtenu un diplôme de photographie à l'Université Internationale de Floride à Miami, aux États-Unis. *Le Miami Herald* l'a engagée comme photographe il y a plus de vingt ans et ses photos ont été récompensées par de nombreux prix.

[Page 344] – Amour et amitié illuminent les visages de Sam, 91 ans, et de Jeanette, 101 ans. Cette photo a été prise à l'occasion du Sabbat dans une résidence pour personnes âgées juives de Miami Beach, en Floride, États-Unis, où vit le couple.

Nikon N90, 105 mm, Fuji/135, Exp. non communiquée

Amit Bar
Pays-Bas

Né dans un kibboutz d'Israël, Amit Bar a suivi des études d'art créatif à l'université d'Haifa. Il vit à présent aux Pays-Bas et est photographe indépendant.

[Page 155] – Allon et Tom, 3 ans, ont trouvé sur ce confortable canapé l'endroit idéal pour rire et jouer ensemble. Les deux amis vivent au kibboutz de Kfar Hamaccabi.

Nikon FA, 35–70 mm, Ilford/135, Exp. non communiquée

Juan P Barragán
Équateur

Originaire d'Équateur, Juan P Barragán a fait des études de physique à Boston, et de psychologie à Genève. Il dirige actuellement son entreprise. Acción Creative, et est rédacteur en chef de *Sin Limites*, prestigieux magazine équatorien pour les jeunes.

[Page 83] – Respect des traditions près du lac de San Pablo, en Équateur. Quatre générations d'une famille d'Indiens Imbabura se coiffent à la manière ancestrale. De droite à gauche, Mama-Rosa, Rosa, Rosa Elena et Miriam.

Nikon F2, 180 mm, Ilford/135, Exp. non communiquée

Anne Bayin
Canada

Productrice de télévision et écrivain, Anne Bayin vit à Toronto. Elle collabore notamment à *The Journal*, émission-phare de CBS consacrée à l'actualité. Elle a étudié avec les célèbres photographes Freeman Patterson et Len Jenshel. Ses travaux l'ont conduite aux quatre coins de la planète et ont fait l'objet de plusieurs expositions.

[Page 46] – Kim Phuc a été le sujet de la plus célèbre photo de la guerre du Vietnam. Prise en 1972, celle-ci représente « la petite fille de la photo » grièvement brûlée au napalm.

Nikon F601, 35–70 mm, Kodak Gold 200/135, Exp. non communiquée

Jamshid Bayrami
Iran

Jamshid Bayrami est un photographe autodidacte installé à Téhéran, en Iran. Photographe de guerre de 1985 à 1988, il a remporté en 1990 le premier prix du Troisième Concours Annuel de Photographie de son pays ainsi que la médaille d'or de l'Exposition Internationale des Photographes Professionnels organisée au Pakistan. En 1997, le magazine *Life* lui a décerné le prix du Meilleur Photographe. Jamshid a été exposé en Iran, en France et en Angleterre. Il a également publié un album en six volumes sur le cinéma iranien.

[Pages 246 & 247] – Chahbahar sur le littoral du golfe Persique - Sahel attend anxieusement le retour de son fiancé parti pêcher en mer. Lorsqu'on l'interroge à ce propos, elle se couvre le visage pour dissimuler ses larmes.

Nikon F601, 70–210 mm, Kodak/135, Exp. non communiquée

Melonie Bennett
États-Unis

Melonie Bennett a grandi dans une ferme du Maine, aux États-Unis. S'intéressant à la photographie, elle a fait des études supérieures dans cette discipline. Ses photos ont été présentées dans des galeries et des établissements d'enseignement, ainsi qu'à des expositions nationales.

[Page 41] – Un air de famille : Jim et Scott, deux beaux-frères, comparent leurs ventres à celui de Mary, enceinte de neuf mois, à Gorham, dans le Maine.

Pentax K1000, 35 mm, Kodak Tri-X/135, Exp. f11-1/60

Alan Berner
États-Unis

Alan Berner de Seattle (Washington), est diplômé en philosophie et en photographie journalistique. Il travaille actuellement comme directeur photographique pour le journal *Seattle Times*. L'Association Nationale des Journalistes de Presse l'a nommé photographe régional de l'année à quatre occasions. En 1995, Alan était récompensé par Nikon/NPPA Documentary pour son projet sur l'Ouest américain.

[Page 266] – English Bay á Vancouver, Canada - Un couple de jeunes mariés d'humeur joueuse, attendent d'être pris en photo.

Leica M4, 2/35 mm, Kodak Tri-X/135, Exp. f5.6-1/125

Dharmesh Bhavsar
Canada

Dharmesh Bhavsar est photographe professionnel depuis plus de quinze ans. Originaire de l'Inde, il a récemment émigré au Canada et vit à présent dans l'Ontario. Il a participé à des expositions dans toute l'Inde et a remporté cinq prix internationaux de l'UNESCO, Asahi Shimbun et Canon. Il a également contribué à un livre sur les enfants des rues pour l'UNICEF.

[Pages 216 & 217] – Roue libre – une roue mène la course endiablée de trois copains dans une rue déserte de Baroda, en Inde.

Nikon F3 HP, 4/80–200 mm, Kodak/135, Exp. non communiquée

Felix Bialy
Argentine

Photographe autodidacte, Felix Bialy vit à Buenos Aires. Depuis 1991, il a remporté plus de quarante premiers et deuxièmes prix de concours internationaux. En 1996, il a obtenu le El Condor FAF, le prix le plus prestigieux décerné par la Fédération argentine de photographie et en 1997 le premier prix du concours Sigma en Espagne. En 1998, il est devenu artiste de la FIAP (Fédération internationale d'art photographique).

[Page 183] – Partage d'un coin de trottoir et d'une bouteille à Rio de Janeiro, au Brésil.

Nikon F3, 80–200 mm, Fuji/135, Exp. f5.6-1/60

Robert Billington
Australie

Vivant à Sydney, Robert Billington est photographe professionnel depuis plus de dix-huit ans. Ses portraits et paysages lui ont valu de nombreuses récompenses. Il a publié quatre volumes de photos documentaires et été par deux fois désigné Photographe de l'année en Australie, catégorie professionnelle en 1994, éditoriale en 1998.

[Page 297] – À la fin de la compétition de natation de Shark Island en Australie, un concurrent unijambiste sort de l'eau. Son fils accourt pour lui apporter sa jambe artificielle, ce travail d'équipe permet au père d'atteindre en courant la ligne d'arrivée.

Rolleiflex GL2.8, 80 mm, Kodak T-max/120, Exp. f11-1/250

Gunars Binde
Lettonie

Gunars Binde est un photographe largement reconnu, qui a commencé sa carrière en 98. En 1970, il a été sélectionné comme étant l'un des dix meilleurs photographes en Europe. Il a participé à de nombreuses expositions et remporté plusieurs prix. Il a été nommé professeur honoraire en Lituanie et en Autriche. Il vit aujourd'hui à Riga, en Lettonie.

[Page 105] – Problèmes de famille : échange de points de vue sur un banc dans un parc de Moscou, en Russie.

Saliut TAIR 3, 5.6/300 mm, Foto/180, Exp. 1/60

Gay Block
États-Unis

La carrière photographique de Gay Block, qui a débuté en 1975, est marquée par une collaboration avec l'écrivain Malka Drucker. Intitulé *Rescuers – Portraits of Moral Courage in the Holocaust*, ce travail a abouti à la publication d'un livre et à l'organisation d'une exposition itinérante présentée dans plus de trente lieux à travers les États-Unis et le monde entier.

[Page 171] – Sous l'ardent soleil de Miami, en Floride, deux amies veillent à se protéger le nez durant la promenade qu'elles effectuent bras dessus bras dessous le long de South Beach.

Pentax 6x7, 90 mm, Kodak VPS/220, Exp. f8-1/60

Shauna Angel Blue
États-Unis

Deux fois mère et trois fois grand-mère, Shauna Angel Blue est une photographe amateur passionnée. Elle a récemment obtenu un diplôme de photographie au Columbia College de Chicago.

[Page 69] – Chicago, Illinois, États-Unis : vêtue de son tutu préféré, Rose, 2 ans, danse au son de la harpe de sa mère.

Nikon, 50 mm, Kodak Tri-X/135, Exp. f11-1/500

Gerald Botha
Afrique du Sud

Né au Cap, Gerald Botha vit à présent à Durban. Il est photographe professionnel depuis dix ans, et son activité porte essentiellement sur le travail en studio, la photo de mode, de mariage et d'architecture.

[Page 21] – À Durban, Aileen, l'épouse du photographe, dit bonjour à Eden, leur fils âgé de 3 mois.

Canon EOS 5, 135 mm, Fuji/135, Exp. f5.6-1/60

Werner Braun
Israël

Werner Braun est né à Nuremberg, en Allemagne, et a émigré en Palestine en 1946. Il devient rapidement photographe de presse, et ses reportages concernent souvent les actions terroristes. Il a été photographe officiel au procès d'Adolf Eichmann à Jérétats unislem. Au cours de sa carrière, il a publié plus de vingt volumes et, en 1998, la ville de Nuremberg a célébré son 80e anniversaire par une exposition de ses œuvres.

[Page 325] – Ce témoignage d'affection entre une infirmière et une patiente âgée anime la salle d'attente d'un hôpital de Jérétats unislem.

Hasselblad, 80 mm, Ilford HP4/120,Exp. f5.6-1/60

Romano Cagnoni
Italie

L'Italien Romano Cagnoni a étudié le reportage photographique à Londres, en Angleterre, auprès du célèbre Simon Guttman. Premier photographe admis au Vietnam du Nord en 1965, il a couvert depuis de nombreux événements mondiaux pour divers magazines internationaux. Ses photos ont remporté de multiples prix, dont le ETATS UNIS Overseas Press Award. Dans son livre intitulé Pictures on a Page, Harold Evans, ancien rédacteur en chef du *Sunday Times* à Londres, le compte parmi les sept plus grands photographes du monde.

[Page 160] – Bonne humeur de deux adolescentes à bicyclette se rendant à la plage par la route de Pietrasanta.

Leica 2M, 50 mm, Kodak/135, Exp. f8-1/125

[Page 259] – Sur une plage de Cleethorpes, en Angleterre, une fusée de fête foraine sert d'arrière-plan aux ébats d'un exubérant jeune couple dans le sable.

Nikon F2, 180 mm, Kodak/135, Exp. f8-1/250

José Caldas
Brésil

José Caldas, de Rio de Janeiro, est photographe professionnel depuis une quinzaine d'années, spécialisé dans la photographie de nature. Ses travaux ont été publiés dans divers magazines brésiliens et internationaux, ainsi que dans les encyclopédies *Britannica* et Encarta. Il a obtenu en 1992 le prix Marc Ferrez de la Funarte (Fondation nationale des Arts) de l'IBAC (Instituto Brasileiro de Arte e Cultura) pour un reportage photographique sur le cours inférieur du fleuve São Francisco, au Brésil.

[Page 334] – Deux époux côte à côte dans leur maison au bord du São Francisco. Derrière eux, leur photo de mariage est fièrement accrochée au mur.

Hasselblad, 38 mm, Fujichrome Velvia/120, Exp. f5.6-1/8

Marianna Cappelli
Italie

Marianna Cappelli est née à Naples, en Italie. Elle vit aujourd'hui à Novaro où elle s'attache à satisfaire son goût pour l'art et la photographie.

[Page 220] – Sur une plage de Sardaigne, la curiosité naturelle de la fille de la photographe, Martina, 4 ans, et de son amie Esther débouche sur de nouvelles découvertes.

Canon EOS 600, 35–70 mm, Ilford HP5 Plus/135, Exp. non communiquée

Lori Carr
États-Unis

Née aux États-Unis, Lori Carr a fait ses premières photos pour l'annuaire de son lycée. Après des études à l'université de Colombia à Chicago, elle s'est installée en Californie comme photographe indépendante. Elle vit actuellement à Los Angeles où elle réalise des portraits de célébrités pour l'industrie de la musique, du cinéma et de la télévision.

[Page 139] – Peintures rituelles et imagination enfantine lient ces deux jeunes guerriers, Billy et Shaun, à San Rafael, en Californie.

Leica M4, 50 mm, Kodak Tri-X/135, Exp. non communiquée

Paul Carter
États-Unis

Paul Carter, photographe autodidacte, a obtenu en 1972 un diplôme de journalisme à l'université du Maryland, avant de faire son service militaire dans les sous-marins. En vingt-cinq ans de carrière, il a également travaillé comme reporter, rédecteur, photographe ou responsable du service photo auprès de sept journaux différents.

[Page 91] – Un doux sourire d'une mère à son fils à Eugene, dans l'Oregon. Nano, 85 ans, souffre d'arthrite, et son fils Doug la soigne à la maison. Après lui avoir fait la lecture un après-midi, il remet sa mère au lit avec précaution.

Leica M6, 35 mm, Kodak Tri-X/135, Exp. non communiquée

Mara Catalán
États-Unis

Mara Catalán est née à Madrid. Aujourd'hui elle vit à New York, mais la photographie la mène aux quatre coins du monde. Elle a travaillé, entre autres, pour le magazine espagnol *El Europeo*, la revue chilienne Cosas et l'agence Magnum de New York. Mara a participé à de nombreux projets cinématographiques et travaillé comme archiviste dans un musée du Chiapas, au Mexique.

[Pages 144] – En surplomb de la vallée de l'Annapurna, au Népal, trois enfants profitent des plaisirs simples que procure l'amitié. Perchées au-dessus d'un précipice, les deux fillettes ornent leur chevelure de fleurs fraîchement cueillies.

Nikon F, 28 mm, Kodak Tri-X 400/135, Exp. non communiquée

Krisadakorn Chaiyaphaka
Thaïlande

Diplômé de la faculté d'administration commerciale de l'Université de Ramkhamhaing, Krisadakorn Chayaphaka dirige actuellement sa propre entreprise de construction industrielle. Passionné de photographie, il est membre de la Société Photographique de Thaïlande.

[Page 278] – Image d'amour et de bien-être à Chiang Rai, en Thaïlande : une jeune mère fait la toilette de son bébé tout en lui donnant le sein.

Nikon F801S, 80–200 mm, Fuji/135, Exp. f4-1/250

Michael Chiabaudo
États-Unis

Photographe à plein temps, Michael Chiabaudo est établi à New York mais voyage régulièrement pour son travail. Il prépare actuellement un volume rassemblant des photos qu'il a réalisées dans le monde entier.

[Page 237] – Un jeune garçon tente de rester à la hauteur – son pantalon aussi – tandis que ses amis parcourent à grands pas la rue poussiéreuse d'un village près de Tijuana, au Mexique.

Nikon N90S, 28 mm, Kodak Tri-X/135, Exp. non communiquée

Claude Coirault
Tahiti

Claude Coirault est né en Guadeloupe. Il a étudié les mathématiques, la physique et les langues à l'université à Paris avant de concentrer son attention sur la photographie. Claude a travaillé comme photographe dans de nombreux pays différents et dans un large éventail de domaines. Actuellement, il est installé à Papeete, à Tahiti.

[Page 186] – Ce jeune garçon – le visage recouvert d'un remède local – oublie vite sa maladie en voyant ses amis arriver avec un nouveau jouet, une boîte en carton. Cette scène a été prise à Abidjan, en Côte d'Ivoire.

Canon F1, 200 mm, Kodachrome/135, Exp. f5.6-1/125

[Page 306] – Compagnons inséparables – cette photo exprime l'affection qui réunit ces deux enfants, frère et sœur, de Côte d'Ivoire.

Non communiqués

Roberto Colacioppo
Italie

Roberto Colacioppo est un photographe professionnel installé à Luciano, en Italie. Il est spécialisé dans les mariages, les portraits et la mode.

[Page 91] – Une grand-mère embrasse de tout son cœur une jeune mariée. La vieille dame, agée de 97 ans, et sa petite-fille sont les seuls membres de la famille à vivre encore dans le village de Roccaspinalveti, en Italie.

Nikon F4S, 2.8/80–200 mm, Kodak/135, Exp. N/A

Ivan Coleman
Royaume-Uni

Vivant à Londres, Ivan Coleman s'est intéressé à la photographie au cours de ses études à l'école d'art. Il est à présent photographe professionnel spécialisé dans le journalisme et le reportage.

[Page 263] – Londres, en Angleterre – deux touristes échangent un long baiser au bord de l'eau tandis que le soleil couchant ponctue la fin d'une journée bien remplie.

Canon EOS 1, 200 mm, Kodak Tri-X/135, Exp. f4-1/500

Alvein Damardanto
Indonésie

Né dans le sud de Sumatra, en Indonésie, Alvein Damardanto a fait des études de photo à Bali en 1999. Alvein réalise également des films documentaires.

[Page 218] – Après un match de football, deux jeunes joueurs assis à la fenêtre d'un vieux château de Yogyakarta revivent les phases du jeu.

Nikon EM2, 28 mm, Kodak/135, Exp. non communiquée

Eddee Daniel
États-Unis

Eddee Daniel, de New York, est photographe et enseignant depuis plus de vingt ans. Ses travaux s'orientent vers divers domaines, du documentaire à la photo expérimentale. Également écrivain, il a souvent associé phot et poésie dans ses expositions.

[Page 68] – Moment de découverte à Sauk City, dans le Wisconsin : Chelsea, 1 an, comprend d'où vient la musique.

Nikon FE, 50 mm, Kodak Tri-X/135, Exp. N/A

Andrew Danson
Canada

Andrew Danson, qui vit à Toronto, a participé à une cinquantaine d'expositions canadiennes et internationales. Ses travaux figurent entre autres au Musée National des Archives et au Musée de la Photographie contemporaine au Canada. Il est également administrateur et chargé de cours de photographie au Bell Center for Creative Communication de Toronto.

[Page 310] – Comme deux gouttes d'eau – les grand-tantes du photographe chez elles, au Canada. Les deux sœurs, Rose et Florence, vivent ensemble depuis qu'elles ont perdu leurs maris vers la quarantaine.

Hasselblad 500 CM, 80 mm, 120, Exp. non communiquée

Dennis Darmek
États-Unis

Dennis Darmek est diplômé de l'École des beaux-arts de l'Université du Wisconsin à Milwaukee. Il a travaillé dans la photo et la vidéo, et est actuellement directeur de production au Instructional Media Center (centre de médias éducatifs) de l'Université Marquette, à Milwaukee. Ses travaux lui ont valu de nombreuses récompenses, en particulier le premier prix du concours national Nikon en 1977 et le Director's choice award au Festival Black Maria en 1993 et 1996.

[Page 296] – Un jour d'été comme les autres au parc nautique de Big Kahuna à Wisconsin Bells. Un couple enlacé réfléchit avant d'aller faire trempette.

Noblex 135, Kodak T-max/135, Exp. non communiquée

Binode Kumar Das
Inde

Binode Kumar Das vit à Calcutta où il travaille au département de sériculture pour le gouvernement du Bengale occidental. Passionné de photographie, il appartient à l'Association Photographique de Calcutta-Est.

[Page 290] – Après une dure journée de travail, cette maman retrouve avec plaisir la compagnie de ses enfants.

Asahi Pentax KM, 50 mm, 135, Exp. f8-1/60

Robin Sparks Daugherty
États-Unis

Robin Sparks Daugherty a débuté dans la photo en 1978. Aujourd'hui journaliste spécialisée dans les voyages, elle fait des photos et rédige des articles pour le magazine on-line *EscapeArtist*. Ses travaux ont paru dans plus de cinquante publications et ses photos primées ont été exposées dans plusieurs galeries californiennes. On peut voir une exposition permanente de ses œuvres au centre médical de Carson Valley, au Nevada.

[Page 210] – Baignade défi – pendant un été de sécheresse, trois copains du Nouveau-Mexique montrent qu'il est amusant de se baigner, même dans 5 cm d'eau.

Reinhard David
Autriche

Né dans la capitale autrichienne, Reinhard David s'est intéressé à la photographie pendant ses études universitaires. Il est actuellement photographe indépendant et trouve essentiellement ses sujets au Moyen-Orient, en Afrique et en Asie du Sud-Est.

[Page 205] – Le petit Jakob a fait une impression mémorable quand il a été présenté à son oncle lors d'une réunion de famille dans les environs de Vienne, en Autriche.

Contax G2, 90 mm, Kodak T-max/135, Exp. f2.8-1/60

Todd Davis
États-Unis

Vivant à Ashland, dans l'Oregon, où il est cadre et formateur dans un magasin de produits naturels, Todd Davis pratique la photo en amateur passionné depuis quatre ans et suit un apprentissage auprès d'un photographe d'art.

[Page 328] – Bob reconduit sa femme Peggy à la maison, à Houston, au Texas. Ils sont mariés depuis cinquante-sept ans.

Canon Elan IIe, Tamron 20–40 mm, Kodak CN400/135, Exp. non communiquée

Rajib De
Inde

Rajib De est né à Chandannagore, en Indie. Diplômé en 1987, il a été engagé par le *Telegraph*, l'un des grands organes de presse locale. Depuis cinq ans, il dirige le service photo du *Statesman*, à Calcutta. En 1995, il a remporté le premier des trois prix décernés par l'UNESCO. Il a également obtenu deux prix auprès de l'Association indienne de photographie.

[Page 117] – Tito, 3 ans, emboîte le pas à un vieux professeur de 82 ans lors de sa promenade de l'après-midi à travers les rues de Calcutta, en Inde.

Nikon F3, 2.8/135 mm, Orow/135, Exp. f4-1/125

Michael Decher
Allemagne

Michael Decher d'Erlangen est orthophoniste diplômé et photographe autodidacte. Il travaille actuellement comme photographe indépendant et ses travaux ont été publiés dans de nombreux livres et journaux. Il a exposé en Allemagne, au Danemark et en Suisse, et certaines de ses œuvres figurent dans des collections d'Europe et des États-Unis.

[Page 287] « Klara et moi » – autoportrait d'un père empli de tendresse et d'amour pour sa petite fille, âgée d'une semaine, qu'il tient dans ses bras.

Canon F1, 2.8/90 mm, Ilford Delta 400/135, Exp. 1/30

Vincent Delbrouck
Belgique

Vincent Delbrouck est diplômé en communication sociale. Actuellement installé à Bruxelles, en Belgique, il réalise des documentaires photographiques en collaboration avec son épouse.

[Page 258] – Jeune couple d'amoureux étroitement enlacés dansant sur les rythmes cubains de La Havane.

Olympus, 35 mm, Ilford HP5/135,Exp. non communiquée

Sergey Denisov
Kazakhstan

Originaire de Kazakh, dans l'ancienne URSS, Sergei Denisov a fait des études de métallurgie à l'Institut polytechnique de sa ville natale, mais il a opté pour la photographie. Photographe de talent depuis plus de trente ans, il travaille actuellement en indépendant à Almaty, au Kazakhstan.

[Page 322] – Échanges de souvenirs le jour de la Victoire à Almaty. Chaque année, ce jour-là, les anciens combattants se rendent au Parc du Souvenir pour honorer la mémoire de leurs compagnons et retrouver de vieux amis.

Zenit TTL, 80–200 mm, Fuji Super G Plus 200/135, Exp. f8-1/125

Thierry des Ouches
France

Photographe autodidacte en France, Thierry Des Ouches a constitué une collection très personnelle, notamment dans de nombreuses expositions, et des albums tels que *Requiem*, *Femmes* et *Vaches*. Il a récemment travaillé pour *France*, nouvelle publication, et certaines de ses œuvres doivent être exposées à la Bibliothèque nationale.

[Page 159] – La belle vie – devant l'objectif de leur père, sur une plage de Noirmoutiers, Diane et Audrey, jeunes fanatiques du soleil, ne s'en font pas.

Canon EOS 1, 2.8/300 mm, Kodak/135, Exp. non communiquée

Christel Dhuit
Nouvelle Zélande

Christel Dhuit est née et a suivi sa scolarité en France, puis s'est installée à Londres. Aujourd'hui, elle vit en Nouvelle-Zélande et prépare un diplôme de graphisme et de photographie à Auckland. Elle travaille déjà comme photographe indépendante.

[Page 26] – Malgré leur gémellité, ces deux fillettes âgées de 5 mois qui vivent à Auckland, en Nouvelle-Zélande, affichent des réactions toutes personnelles.

Canon A1, 50 mm, Kodak T-max 400/135, Exp. N/A

Álvaro Diaz
Brésil

Álvaro Diaz a pris ses premières photos en 1979, et il enseigne à présent la photographie à l'université Santa Caterina dans le sud du Brésil. Il participe actuellement à un projet gouvernemental visant à créer un musée des photographes du XXe siècle à l'intention des étudiants.

[Page 45] – Gabriel, 10 mois, et Paula, sa maman. Le photographe a capté cette image de son fils à Florianopolis, au Brésil.

Nikon FM2, 24 mm, Kodak Plus-X/135, Exp. f2.8-1/4

Duc Doan
Vietnam

Duc Doan est né à Cam Pha, au Vietnam, où il vit toujours. Il poursuit sa carrière de photographe depuis plus de vingt ans.

[Pages 188 & 189] – Adieux tendres entre une Vietnamienne de 88 ans et son amie d'enfance sur le point de quitter ce monde à l'âge de 92 ans. Cet instant a été saisi à Ha Long, dans la province vietnamienne de Quang Ninh.

Minolta Himatic 7S, 45 mm, Cbema Poto 64/135, Exp. f5.6-1/30

Lyn Dowling
Australie

Lyn Dowling a suivi une formation de pharmacienne à Brisbane. Passionnée de photographie, elle a entrepris en 1994 des études à temps partiel dans cette spécialité.

[Page 122] – « Ma » : Rebecca, 20 mois, et sa grand-mère « Ma » partagent les plaisirs simples d'un festival de rue à Brisbane.

Olympus OM1, 50 mm, Agfa APX/135, Exp. N/A

Carol Dupree
États-Unis

Carol Dupree, qui vit en Floride, s'est intéressée à la photographie lors de ses études supérieures. Une amie lui ayant demandé de photographier la naissance de son enfant, Carol a poursuivi dans cette voie et a créé sa propre entreprise, Spontaneous Exposures.

[Page 272] – L'instant de la naissance fixé sur la pellicule à Gainesville, en Floride. Tandis que le petit Wyatt prend sa première inspiration, Taylor embrasse tendrement Sydney, la maman épuisée.

Nikon 2020, 28–80 mm, Kodak T-max/135, Exp. non communiquée

Jack Dykinga
États-Unis

Lauréat du prix Pulitzer (catégorie photo magazine) lorsqu'il travaillait pour le Chicago Sun Times, le photographe Jack Dykinga s'est installé à Tucson en 1976. Son travail porte essentiellement sur la nature et la question écologique. La publication de ses photos dans plusieurs ouvrages a conduit à la création de parcs nationaux et de réserves aux États-Unis et au Mexique. Son dernier livre traite en grande partie de la région du désert Mohave, aux États-Unis.

[Pages 326 & 327] – Amour éternel - Série de portraits du meilleur ami du photographe, Tim Caravello, atteint d'un cancer du cerveau. Ces derniers instants intimes ont été saisis à la demande de Linda, l'épouse de Tim, au cours de ses dernières semaines de lutte alors qu'on lui prodiguait des soins à domicile, à Tucson, en Arizona.

**Nikon N90S, 2.8/35 mm and 1.8/70–105 mm,
Kodak Tri-X/135, Exp. f2.8-1/30 and f2-1/125**

Shannon Eckstein

Canada

De nationalité canadienne, Shannon Eckstein a voyagé durant sept ans à travers le monde avant de retourner s'installer à Vancouver. En 1998, elle a fondé Silvershadow Photographic Images, une société spécialisée dans la photographie noir et blanc créative qui répond à la demande d'un large éventail de clients.

[Page 155] – À Chilliwack, en Colombie-Britannique – dès qu'il a cessé de pleuvoir, Kiana, 18 mois entreprend d'explorer une nouvelle flaque avec Tasia et Belle, ses amies à quatre pattes.

Nikon F90X, 70–200 mm, Kodak Tri-X 400/135, Exp. f5.6/8-1/200

[Page 286] – Baiser esquimau - À Vancouver, au Canada, un jeune père prénommé Davy découvre le moyen idéal d'établir un lien affectif avec sa fille Ciara, âgée de 9 jours seulement.

Nikon 90X, 24–120 mm, Agfa 100/135, Exp. f5.6-1/125

Sandra Eleta

Panama

La Panaméenne Sandra Eleta a beaucoup voyagé avant de suivre une formation au Centre International de la Photographie à New York. Son diplôme en poche, elle est retournée vivre sa passion dans son pays natal. Aujourd'hui, elle est établie à Panamá.

[Page 265] – Putulungo et Alma, photographiés à Portobelo, au Panamá, illustrent l'esprit de l'expression latino-américaine « *tienes luz en la pupila* » (tu as de la lumière dans les yeux).

Hasselblad 500C, 80 mm, Kodak Tri-X/120, Exp. f5.6

Victor Englebert

États-Unis

Photographe autodidacte et écrivain, Victor Englebert a publié dix ouvrages de photos. Il a jusqu'à ce jour vécu parmi une trentaine de tribus de trois continents, et les reportages qu'il en a rapportés ont paru dans de nombreuses publications, notamment *National Geographic*, *Paris Match*, *International Wildlife* et le *London Sunday Times.*

[Page 52] – Dans la fôret amazonienne, un Indien Yanomami se détend en jouant avec son petit-fils dans un hamac d'écorce tissée.

Leica M2, 35 mm, Kodachrome 64/135, Exp. f2.8-1/30

Mark Engledow

États-Unis

Mark Engeldow a travaillé vingt ans dans le domaine de la radio avant de devenir photographe professionnel. Particulièrement intéressé par la nature, les paysages et la vie sauvage, il a également remporté de nombreux prix pour ses images journalistiques de personnes et de lieux. Il vit actuellement à Fort Myers en Floride et est membre de l'Association des Photographes professionnels de cet état.

[Page 317] – Kitty, 6 ans, la fille du photographe, se dresse sur la pointe des pieds pour embrasser son grand-père.

Ricoh KR10, 30–80 mm, Ilford FP4/135, Exp. f5.6-1/500

Lloyd Erlick

Canada

Lloyd Erlick, de Toronto, est un portraitiste spécialisé dans la photographie en noir et blanc.

[Page 294] – Portrait de famille à Toronto – la petite Shai âgée de six mois, que sa maman tient avec tendresse et fierté entre ses bras, tend la main vers sa grand-mère Natalie.

Hasselblad ELX, 120 mm, Kodak TMY/120, Exp. f8-1/15

Paz Errázuriz

Chili

Paz Errázuriz est photographe autodidacte à Santiago du Chili. Après des études de pédagogie à l'Université catholique de Santiago, elle est devenue institutrice, puis a abandonné l'enseignement et travaille comme photographe indépendante pour des magazines et pour la Fondation Andes. Elle a obtenu une bourse Guggenheim en 1987 et a publié deux volumes.

[Page 107] – Patience : dans un village de pêcheurs isolé du sud du Chili, M. et Mme Andrade, patrons de bar, se demandent quand va venir leur prochain client.

Nikon F3, 35 mm, Kodak Tri-X/135, Exp. f4-1/30

[Page 165] – Cette photo exprime l'affectueuse sollicitude des religieuses qui tiennent cette maison de retraite de Santiago.

Nikon F2, 80 mm, Kodak Tri-X/135, Exp. f8-1/60

[Page 321] – Devant le marché de Santiago, au Chili, trois jeunes vendeurs de cigarettes trouvent que de vieux cageots font des sièges idéaux pour une réunion entre copains.

Nikon F2, 50 mm, Kodak Tri-X/135, Exp. f8-1/60

Mikhail Evstafiev

Russie

Mikhail Evstafiev a étudié le journalisme à l'Université de Moscou, sa ville natale. Après l'obtention de son diplôme, il a travaillé comme reporter puis a séjourné deux ans en Afghanistan comme correspondant militaire. Photographe indépendant depuis 1990, il travaille pour l'Agence France-Presse ainsi que pour Reuters à Moscou et à Londres. Mikhail est en outre l'auteur d'un ouvrage, intitulé *Two Steps from Heaven*, sur l'intervention militaire soviétique en Afghanistan.

[Page 294] – Dans les rues de Santiago de Cuba, à Cuba. Les témoignages d'affection d'un jeune couple suscitent le sourire d'enfants qui assistent à la scène.

Leica M6, 28 mm, Ilford XP2/135, Exp. f5.6-1/125

Barbara Judith Exeter

Nouvelle-Zélande

Photographe amateur de Napier, en Nouvelle-Zélande, ses sujets de prédilection sont les enfants et petits-enfants de la famille.

[Page 273] – Le soulagement se lit sur le visage de Linda, qui vient de mettre au monde son premier enfant à Hastings, en Nouvelle-Zélande. La jeune maman est épuisée par trente-deux heures de travail, mais elle rayonne de bonheur tandis que Wayne, le papa, admire le petit Braeden âgé de cinq minutes.

Weathermatic 35DL, 3.5/35 mm, Kodak Kroma/135, Exp. non communiquée

James Fassinger

États-Unis

Après avoir effectué plusieurs stages en tant que photographe au sein de divers journaux américains, James Fassinger s'est rendu à Prague, en République tchèque. Par la suite, il est devenu responsable du service photo de *Prognosis*, le premier journal de langue anglaise du pays. Actuellement, il vit à Prague et travaille
en indépendant à travers l'Europe.

[Page 37] – Portrait miroir : sœurs jumelles effectuant une promenade printanière sur les rives de la Vltava River à Prague, en République tchèque.

Nikon F3 HP, 55 mm, Kodak T-max 400/135, Exp. f5.6-1/500

Raymond Field

Afrique du Sud

Raymond Field est un photographe autodidacte. Actuellement, il travaille à Johannesburg, en Afrique du Sud, pour une publication consacrée à l'ingénierie et à l'exploitation minière.

[Page 98] – Le rythme des tambours incite des bambins à danser, pour le plus grand plaisir d'une foule de curieux à Johannesburg, en Afrique du Sud.

Minolta 500, 35–70 mm, Ilford HP5/135, Exp. f5.6-1/125

Katherine Fletcher

États-Unis

Titulaire d'un diplôme d'art, catégorie photographie, Katherine Fletcher dirige sa propre entreprise à Omaha, dans le Nebraska. Unforgettable Images est une agence spécialisée dans le reportage photo de mariage pour la presse.

[Page 97] – Mariage à Omaha : au moment où les mariés s'embrassent, une petite demoiselle d'honneur se cache les yeux, mais cela ne semble pas troubler son jeune ami.

Canon A2, 28–70 mm, Kodak/135, Exp. f5.6-1/90

[Page 206] – Bonheur conjugal à Omaha, dans le Nebraska – avant la réception de mariage, l'atmosphère se détend pour Stephanie, la mariée, et ses amies.

Canon A2, 28–70 mm, Kodak/135, Exp. f8-1/90

William Foley

États-Unis

Après ses études à l'université d'Indianapolis, aux États-Unis, le reporter William Foley a travaillé pour l'Associated Press et le magazine Time au Caire, en Égypte et à Beyrouth, au Liban. Le prix Pulitzer lui a été décerné en 1983 pour une série de photos prises à Beyrouth et son travail a régulièrement paru dans les plus grandes publications du monde entier. Après avoir travaillé dans quarante-huit pays différents, William s'est installé à New York où il est photographe indépendant.

[Pages 212 & 213] – Le ciel est la seule limite pour ces deux fillettes de Beyrouth, au Liban. Leur terrain de jeux est un ancien stade dans lequel se sont installés des centaines de réfugiés à la suite de l'invasion israélienne en 1982.

Canon T90, 35 mm, Fuji/135, Exp. f5.6-1/250

Bill Frakes

États-Unis

Bill Frakes est un éminent photographe professionnel. Il a travaillé dans plus de cinquante pays, et est actuellement sous contrat avec le magazine *Sports Illustrated*. Depuis une vingtaine d'années, ses photos ont paru dans les plus grands journaux et magazines, et on compte parmi ses clients Nikon, Kodak et IBM. Il a remporté le prix Pulitzer et celui du photographe de l'année.

[Page 76] – En tandem : une nouvelle version de maison mobile, immortalisée à Miami Beach, en Floride.

Non communiqués

Pepe Franco
États-Unis

Pepe Franco a fait des études supérieures de sociologie. Il a travaillé comme maçon pour acheter son premier appareil photo, et la photographie l'a passionné au point qu'il a décidé d'en faire son métier. Photographe de presse depuis 1984, il travaille essentiellement en Espagne, mais il a aussi effectué des missions au Mexique et aux États-Unis.

[Page 194] – Fidèle compagnon – à Madrid, un vieil homme chante pour son chien pendant que l'aide ménagère vaque tranquillement à ses occupations.

Canon F1, 28 mm, Kodak/135, Exp. non communiquée

[Page 269] – Angel, futur papa ne peut s'empêcher de rire en racontant une blague à son bébé à naître. Ce portrait d'Angel et d'Isabel, sa compagne, a été réalisé à l'occasion d'une réunion de famille à Aguilas, en Espagne.

Leica M6, 50 mm, Kodak/135, Exp. non communiquée

Richard Frank
États-Unis

Richard Frank vit à Westport, dans le Connecticut. Photographe indépendant depuis plus de vingt-cinq ans, il s'est fait une spécialité de photographier des personnages en extérieur pour des magazines, des brochures corporatives et publicitaires.

[Page 255] – Une autre manière de lever le(s) pied(s) dans l'Indiana.

Nikon F, 35 mm, Kodak/135, Exp. non communiquée

Bill Frantz
États-Unis

Après ses études à l'Institut d'arts de Chicago, Bill Frantz a été sept ans photographe associé et directeur de studio auprès de *Playboy*. Il s'est ensuite installé dans le Wisconsin comme photographe indépendant. Il travaille actuellement pour l'industrie mais réalise aussi des photos de mariage et des photos commerciales.

[Page 205] – Musique pour les oreilles – Dans le Wisconsin, Sara, 2 ans, saxophoniste en herbe, joue pour sa petite sœur Leslie.

Bronica ETRS, 2.8/75 mm, Kodak Vericolor/120, Exp. non communiquée

Gary Freeman
Royaume-Uni

Diplômé de l'Université de Nottingham Trent au Royaume-Uni, Gary Freeman a également fait des études à l'école NARAFI de Bruxelles et à l'académie FAMU de Prague. Il travaille actuellement en indépendant à Shipley, en Angleterre.

[Page 343] – À Moravia, petite ville de la République tchèque, une aveugle s'occupe de son mari, affaibli par l'âge. Tandis qu'il se repose, elle lui fait la lecture dans un livre en Braille.

Canon EOS 1N, 28 mm, Kodak Tri-X/135, Exp. f5.6-1/125

Tomas D W Friedmann
Italie

Fils d'une photographe, Tomas D W Friedmann, est arrivé à New York, venant d'Israël, en 1951. Il a obtenu un prix lors d'un concours de jeunes photographes organisé par le magazine *Life*, mais n'a pas pu trouver de travail dans cette branche. Il a alors créé sa propre agence, Pip Photos Inc., qui a si bien marché qu'il s'est retiré sur la Riviera italienne en 1970. Aujourd'hui, quatre agents s'occupent de ses images à New York, Tokyo, en Allemagne et en Suisse.

[Page 42] – Protection et amour : en Tanzanie, une mère Massai tient son petit enfant avec douceur.

Nikon, Nikormat 35–75 mm, Kodachrome/135, Exp. f8-1/250

Peter Gabriel
États-Unis

Né en Corée du Sud, Peter Gabriel s'est installé en Autriche avec sa famille. Il a fait des études de médecine à Vienne, puis est parti pour les États-Unis, où il a découvert la photographie. Il est actuellement photographe à New York.

[Page 209] – Dans un café new-yorkais, ces trois filles soucieuses de mode ont découvert un accessoire parfait.

Contax T2, 38 mm, Ilford Delta 400/135, Exp. f4-1/15

David Sanchez Gimenez
Espagne

David Sanchez Gimenez est né à Terrassa, en Espagne. Il a découvert la photographie lors de ses voyages à travers le monde. Après avoir étudié à l'École de Photographie Grisart à Barcelone, il est devenu photographe professionnel en 1998. Ses photos ont été publiées dans de nombreux journaux et magazines et couronnées à trois reprises lors de concours organisés en Espagne.

[Page 256 & 257] – Un jeune couple effronté distrait l'attention d'Alfonso qui lit son journal en attendant le bus à Barcelone, en Espagne.

Leica M6, 2.8/28 mm, Kodak Tri-X/135, Exp. non communiquée

Lynn Goldsmith
États-Unis

Photographe autodidacte vivant à New York, Lynn Goldsmith est connue pour ses portraits de célébrités. Ses travaux lui ont valu de nombreuses récompenses, dont les prix World Press, Lucien Clerque et NCP International. Ses photos ont paru dans nombre de publications internationales, notamment *Time, Life, Sports Illustrated* et *Rolling Stone*. Une exposition lui a été consacrée au Centre International de Photographie à New York. Elle a publié sept ouvrages.

[Page 299] – Une petite fille presse son visage sur la main de sa grand-mère au cours d'une promenade à Arles, en France.

Nikon F, 108 mm, Ektachrome 100/135, Exp. 5.6-1/250

Ário Gonçalves
Brésil

Ário Gonçalves est né à Porto Alegre, au Brésil. Il a débuté dans la photographie en vendant du matériel. En 1992, sa décision d'explorer plus avant cette discipline lui ouvre les portes du XIXe Forum des Jeunes de la Photo de la FIAP (Fédération Internationale de l'Art Photographique). Actuellement, Ário travaille comme photographe pour la police judiciaire brésilienne.

[Page 277] – À Alvorado, au Brésil, le tendre baiser de Rosânge la déclenche un gargouillis de joie chez sa fille Ariane, âgée de 3 mois.

Olympus OM20, 35–105 mm, Kodak Tri-X 400/135, Exp. f3.5-1/30

Dylan Griffin
États-Unis

L'Américain Dylan Griffin a étudié à l'Université Saint Edwards d'Austin, au Texas. Ses travaux lui ont valu une bourse de l'Atelier de Photographie de Santa Fe et une bourse Ruth Long. Aujourd'hui, il vit et travaille à New York.

[Page 336] – Le photographe a réalisé ce portrait des oncles de son amie dans une station thermale près de Las Cruces, au Nouveau-Mexique. David et Jeff, qui respectent le même code vestimentaire, partagent un moment de détente autour d'une bière.

Rollei 6006, 50 mm, Kodak Tri-X/120,

David M Grossman
États-Unis

David M. Grossman travaille et vit à New York. Photographe indépendant spécialisé dans les portraits, il répond à des commandes provenant d'horizons aussi variés que la presse, la publicité et le monde de la santé. Son travail est représenté dans des collections publiques et privées.

[Pages 8 & 159] – Frère et sœur – Ethan, 6 ans, embrasse avec enthousiasme Emory, 4 ans, lors d'une fête d'anniversaire donnée dans le quartier new-yorkais de Brooklyn.

Canon T90, 28 mm, Kodak Tri-X/135, Exp. non communiquée Exp. f8-1/60

Mikolaj Grynberg
Pologne

Psychologue scolaire de formation, Mikolaj Geynberg est devenu photographe professionnel en 1990. Il est actuellement spécialisé dans la photo publicitaire à Varsovie. Il a obtenu le premier prix du concours de la presse polonaise en 1993, ainsi que le premier et le deuxième prix du concours Ilford en 1995.

[Page 139] – Mme Falk fête son 90e anniversaire à Varsovie, occasion idéale pour prendre le thé avec ses amies de longue date, Mme Malik, 89 ans, et Mme Krauze, 80 ans.

Leica M6, 21 mm, Ilford HP5/135, Exp. f2.8-1/30

Louise Gubb
Afrique du Sud

Louise Gubb est reporter-photographe indépendant depuis plus de vingt ans. Elle a beaucoup travaillé en Afrique, mais elle a également vécu et travaillé aux États-Unis ainsi qu'au Moyen-Orient. Actuellement, elle prend des photos pour SABA Press et vit au Cap, en Afrique du Sud.

[Page 53] – Un père et son fils simplement unis par l'amour familial sur les rives du Fiherenana, à Madagascar. Les Malgaches viennent dans cette région pour exploiter les mines de saphir.

Nikon F90, 35 mm, Kodak E100 SW/135, Exp. f5.6-1/125

Michael Hagedorn

Allemagne

Photographe de presse indépendant, Michael Hagedorn vit à Rellingen près de Hambourg. Il travaille pour la presse allemande et internationale, ainsi que pour le secteur social. Actuellement, il se consacre à un projet à long terme sur l'île de Java, et rassemble les éléments de son prochain ouvrage, *L'Âge et la Mort*.

[Page 331] – Amour tardif – au cours d'une promenade dans le parc de Hemmingsdorf, en Allemagne, Walter surprend Frieda par un baiser spontané. Ils se connaissent depuis longtemps, mais leur amour ne s'est épanoui que récemment, lorsque, devenus veufs, ils se sont installés dans la même maison de retraite.

Canon EOS 5, 45 mm, Kodak T400 CN/135, Exp. non communiquée

Patrick Hamilton

Australie

Patrick Hamilton est photographe professionnel depuis treize ans. Il vit actuellement à Brisbane et travaille pour le journal Australia. Il a remporté de nombreux prix dans son pays et à l'étranger, dont le Walkley award du meilleur photographe de presse en 1998.

[Page 330] – Toujours amoureux après soixante-cinq ans de mariage – Theo embrasse sa femme avant de partir pour une nouvelle journée dans son atelier. Les deux époux, âgés de 85 ans, sont photographiés dans leur maison de Toowoomba dans le Queensland, en Australie.

Nikon F3, 35 mm, Kodak T-max 400/135, Exp. f28-1/60

David Hancock

Australie

Originaire de Nouvelle-Zélande, David Hancock a notamment été tailleur de pierre et ouvrier du bâtiment. Il vit à présent à Sydney et travaille comme photographe indépendant depuis plus de vingt ans.

[Page 335] – Bras dessus, bras dessous – lèche-vitrines au soleil au cours d'une excursion à Manly, banlieue de Sydney située au bord de la mer.

Bronica ETRS, 50 mm, Kodak T-max/120, Exp. f8-1/125

Hazel Hankin

États-Unis

Hazel Hankin enseigne la photographie au City College de New York et travaille comme photographe indépendante. Ses travaux ont paru dans le magazine *Double Take*, dans des ouvrages de Graphis Presse et dans l'*Album de l'année 1996* de *Life*. Elle est également représentée dans les collections permanentes du musée d'Art de Brooklyn, du musée des Beaux-Arts de Houston et du MAK Center for Art and Architecture de Los Angeles.

[Page 110] – Les expériences de toute une vie sont gravées sur le visage de cette vénérable Mexicaine. Un petit enfant se serre tout contre la vieille femme dignement assise dans une église du Michoacán, au Mexique.

Canon F1, 100 mm, Kodak T-max 3200/135, Exp. non communiquée

Mark Edward Harris

États-Unis

Titulaire d'une maîtrise d'art de l'Université d'État de Californie, Mark Edward Harris vit à Los Angeles où il est photographe, écrivain et enseignant. Ses travaux, qui lui ont valu de nombreuses récompenses, ont paru dans des publications comme *Time*, *Life*, *Vogue* et *People*. Ses ouvrages intitulés *Faces of the Twentieth Century* (Visages du vingtième siècle) et *Master Photographers and Their Work* (Maîtres de la photographie et leurs œuvres) ont été désignés Livres photographiques de l'année au Salon du livre de New York en 1999.

[Page 214] – Un groupe d'amis effectue une descente « en carton » mouvementée sur une colline de Memphis, dans le Tennessee.

Nikon N90S, 35 mm, Kodak Tri-X/135, Exp. f4-1/60

[Page 304] – Affectueux coup de langue d'un chien à son jeune maître au cours d'une valse impromptue. Le photographe a saisi cette image de son neveu, âgé de 8 ans, dans leur maison de Boston.

Nikon N90S, 35 mm, Kodak T-max 3200/135, Exp. f2.8-1/125

Joan Harrison

États-Unis

Joan Harrison est professeur à l'université de Brookville, dans l'état de New York. Également « fabricant d'art », elle emploie diverses techniques dont la photographie, le collage et l'imagerie numérique.

[Page 64] – Image de la vie familiale : Lynne et John se détendent à la maison avec « Little John », à Martha's Vineyard, dans le Massachusetts.

Olympus OM2, 35 mm, Kodak Tri-X/135, Exp. non communiquée

Gail Harvey

Canada

Gail Harvey, de Toronto, est l'une des premières femmes engagées comme photographe par United Press dans les années 1970. Après avoir réalisé un ouvrage salué par la critique sur Terry Fox, l'athlète unijambiste qui a traversé le Canada, elle a travaillé en indépendante pour divers magazines canadiens et internationaux. En même temps, elle poursuit ses projets personnels et a exposé dans une dizaine de galeries.

[Page 177] – Cercle d'amis – par une journée froide sur la plage de Brighton, station de la côte sud de l'Angleterre, un groupe de retraités recherche la chaleur dans la compagnie.

Canon A1, 85 mm, Kodak Tri-X/135, Exp. f5.6-1/250

Stephen Hathaway

Royaume-Uni

Stephen Hathaway est diplômé en design et graphisme corporatif. il a travaillé dans les domaines du graphisme puis de la publicité avant de se consacrer à plein temps à la photographe. Réalisant des photos publicitaires ou pour son propre compte, il a présenté récemment deux expositions à Londres.

[Page 85] – Charles est en grande conversation avec son petit-fils Richard sur la place de Soho, à Londres.

Canon EOS 1NH, 70–210 mm, Kodak Tri-X/135, Exp. f5.6-1/250

K Hatt

États-Unis

Natif de London, au Canada, K. Hatt a commencé à s'intéresser à la photographie au lycée. Il s'est installé à New York, aux États-Unis, et a travaillé comme assistant pour un certain nombre de photographes de mode avant de se lancer lui-même dans la photographie de mode et le portrait.

[Page 222] – Chute libre – quatre amies en bikini sautent d'un ponton, à Miami, en Floride.

Fuji 645S, 75 mm, Kodak Tri-X/120, Exp. f8-1/250

Linda Heim

États-Unis

Linda Heim vit à Delmar, à Albany, dans l'État de New York. Elle est professeur d'éducation physique et photographe amateur se consacrant à un large éventail de sujets

[Page 146] – Dégustation à Averill Park, dans l'État de New York – Abigail, 5 ans, veut savoir si la sucette de Samantha a le même goût que la sienne.

Canon T90, 28–200 mm, Kodak/135, Exp. non communiquée

[Page 288] – Lynn et Casey, son fils de dix mois, expérimentent une variante de la balançoire sur la plage de Burden Lake dans l'état de New York.

Canon T90, 28–200 mm, Kodak/135, Exp. non communiquée

Doreen Hemp

Afrique du Sud

Doreen Hemp est photographe en Afrique du Sud. Titulaire d'une maîtrise de beaux-arts, elle intègre souvent la photographie à ses œuvres. Ses photos ont paru dans nombre de publications sud-africaines.

[Page 231] – Deux enfants nebedele portant le pagne brodé et le collier de perles traditionnels de leur tribus, jouent devant leur maison à Kwandabele, en Afrique du Sud.

Pentax K1000, 50 mm, Fujichrome/135, Exp. f5.6-1/60

Andreas Heumann

Royaume-Uni

D'origine allemande, Andreas Heumann a fait ses études en Suisse. Ses photos font partie des collections du Victoria and Albert Museum à Londres, du musée Kodak de la Photographie de Rochester, aux États-Unis, et de nombreuses collections privées. Elles ont été couronnées de multiples récompenses, dont le prix Agfa en 1994, le prix d'excellence de Communications Arts en 1994 et six grands prix de l'Association des photographes du Royaume-Uni.

[Page 181] – Un petit coin de parapluie - Trois jeunes amis s'abritent en attendant patiemment le début d'un concert rock organisé en plein air, à Londres.

Leica M4, 35 mm, Kodak/135, Exp. non communiquée

Philip Hight
États-Unis

Né au Tennessee, Philip Hight est diplômé de l'université de cet État. Il est aussi photographe à Nashville.

[Page 147] – Passe-moi la glace ! – à Nashville, Precious et Alex jouent avec des cubes de glace, moyen idéal de garder la tête froide par une chaude journée d'été.

Pentax SF1, 35–70 mm, Kodak T-max/135, Exp. non communiquée

Henry Hill
États-Unis

Henry Hill s'est intéressé à la photographie dans les années 1960 en fréquentant un club photo de la Marine où il servait à cette époque. Devenu photographe à Florissant, dans le Colorado, son activité porte essentiellement sur la photo de mode, les portraits et les mariages, et ses travaux figurent dans des brochures de voyage, des journaux et des magazines spécialisés.

[Page 286] – Cyrus, huit jours, endormi sur la poitrine de son père Joe, se sent bien et en sécurité. Cette photo a été prise à son retour de la maternité, lors du premier jour que le bébé a passé à la maison, à Colorado Springs.

Pentax 67(2), 105 mm, Kodak/120, Exp. f5.6-1/30

Jon Holloway
États-Unis

Titulaire d'une maîtrise de beaux-arts, Jon Holloway est photographe professionnel en Caroline du Sud. Ses travaux ont été présentés dans une trentaine d'expositions individuelles et il a obtenu de nombreuses récompenses, notamment les prix de *Nature* et du *National Geographic*.

[Page 215] – Le passé et l'avenir – devant le décor historique du Taj Mahal, ces petits Indiens font de nouveaux jouets avec de vieux pneus.

Pentax 67, 55 mm, Ilford FP4/120, Exp. non communiquée

Sándor Horváth
Romanie

Sándor Horváth vit à Tirgu Mures, en Roumanie. Titulaire d'un diplôme de mathématiques de l'Université de Bucarest, il est chargé de cours dans diverses universités roumaines. Il s'intéresse à la photographie depuis un an.

[Pages 318 & 319] – La longue route – un vieil homme veille au bien-être d'un petit enfant sur le chemin qui les mène vers une bourgade de Transylvanie.

Minolta Dynax 500SI, Sigma 100–300 mm, Fuji Superia 200/135, Exp. 1/250

Steve Hotson
Royaume-Uni

Steve Hotson est né à Nottingham, en Angleterre. Il a parcouru le monde avant d'entreprendre des études de design et de photographie au South Nottingham College. Aujourd'hui, il est photographe indépendant spécialisé dans le documentaire, le reportage et la photo de mariage.

[Page 40] – Dorothy et Ann, deux sœurs de plus de 90 ans, apprécient ce moment de quiétude. Elles attendent la sortie des mariés devant l'église d'Owthorpe, dans le Nottinghamshire.

Nikon FM2, 50 mm, Ilford XP2/135, Exp. f5.6-1/250

John A Hryniuk
Canada

John A. Hryniuk a débuté comme photographe indépendant pour l'Agence Reuters et le quotidien *Toronto Star*. Il est actuellement portraitiste à Toronto, et ses travaux ont paru dans diverses publications, dont *Stern*, le *New York Times* et le *Reader's Digest*.

[Page 195] – Cet ancien combattant canadien partage un moment de réflexion avec un ami proche, près d'Ottawa. Son logis est un ancien car scolaire qu'il partage avec quinze chiens pleins de vie.

Hasselblad 500, 4/80 mm, 120, Exp. f4-1/15

Faisal M D Nurul Huda
Bangladesh

Faisal M. D. Nurul Huda est agent administratif à l'Unité pour la sécurité alimentaire de la Commission européenne au Bangladesh. Diplômé de langue anglaise, il s'adonne avec enthousiasme à la photographie amateur depuis 1991.

[Page 145] – Pour fêter leurs retrouvailles après six ans de séparation, ces cousines de la tribu des Marma au Bangladesh fument des cigares roulés à la main. La plus jeune des femmes les a confectionnés spécialement pour l'occasion, pour partager un gage traditionnel d'amitié et d'amour.

Nikon F3, 105 mm, Fuji Neopan SS/135, Exp. f5.6-1/125

Roy Hyrkin
États-Unis

Après avoir été photographe pour l'université d'État de New York à Middleton, Roy Hyrkin travaille actuellement comme photographe d'art. Ses meilleurs clichés se trouvent au musée George Eastman à Rochester, dans l'État de New York, et à la bibliothèque de la ville de New York, ainsi que dans des collections privées à travers les États-Unis.

[Page 180] – Des amis se rencontrent dans une rue new-yorkaise.

Canon EOS 1N, 28–105 mm, Kodak T-max 400/135, Exp. f6.3-1/125

Andrei Jewell
Nouvelle Zélande

Né au Zimbabwe, Andrei Jewell vit à présent en Nouvelle-Zélande. Photographe indépendant pour l'industrie depuis plus de quinze ans, il est membre de l'Association des photographes professionnels de Nouvelle-Zélande, qui lui a décerné sa médaille d'or.

[Page 125] – Promenade au crépuscule dans le magnifique paysage de montagne de Zanskar, dans l'Himalaya. Dans une région la plupart du temps couverte de neige, Norbu et sa petite-fille profitent au maximum des derniers rayons du soleil.

Nikon F3, 135 mm, Kodachrome/135, Exp. f3.5-1/125

Zhiyao Jiang
Australie

Zhiyao Jiang a débuté comme enseignant après des études de langue et littérature anglaises à l'Université Normale de Shanghai. Passionné de photographie, il a remporté la finale du concours photo noir et blanc de Shanghai. En 1986, il s'installe en Australie et obtient l'année suivante le premier prix du concours photographique de l'Institut Royal de technologie de Melbourne.

[Page 252] – Par une journée caniculaire à Melbourne, deux amis se désaltèrent ensemble près d'une fontaine. Plus loin, un chien semble observer un jeune couple enlacé.

Contax T2, Sonnar 38 mm, Kodak T-max 400/135, Exp. f5.6-1/125

Davy Jones
Royaume-Uni

Né à Liverpool, Davy Jones a fait des études de sciences politiques, de russe et d'histoire de l'Union soviétique à l'université de cette ville. Il s'est établi à Londres où il a travaillé quatre ans comme photographe assistant et est à présent photographe professionnel spécialisé dans le reportage.

[Page 169] – Deux amis en kilt devant la foule de la Gay Pride de Londres.

Rolleiflex T, 80 mm, Ilford HP5/120, Exp. non communiquée

Lance Jones
États-Unis

Né à Séoul, en Corée, Lance Jones est titulaire d'un diplôme supérieur d'art et de photographie de l'Erham College à Richmond, aux États-Unis. Il travaille actuellement comme photographe indépendant à West Rutland, en Virginie.

[Page 210] – L'amitié, c'est jouer dans le même camp – équipe de jeunes footballeurs de Belfast, en Irlande du Nord.

Canon EOS, 35–80 mm, Kodak TMY/135, Exp. non communiquée

Thomas Vilhelm Jørgensen
Espagne

Originaire du Danemark, Thomas Vilhelm Jørgensen a obtenu un diplôme de communication au centre universitaire de Roskilde en 1994. Après avoir poursuivi des études au London College of Printing, il est devenu photographe indépendant et s'est installé à Barcelone.

[Page 22] – Benjamin, bientôt 1 an, et sa mère, Rigmor, en vacances à Gava, près de Barcelone.

Nikon F3, 28 mm, Kodak Tri-X/135, Exp. non communiquée

Jenny Jozwiak
États-Unis

Jenny Jozwiak a fait ses études de photographie au City College de New York. Munie de son diplôme, elle travaille comme photographe de presse, de mode et de voyage. Ses œuvres personnelles ont été exposées dans diverses galeries new-yorkaises et figurent dans plusieurs collections privées. Elle a présenté ses travaux sur diapositives à plusieurs reprises au musée d'Histoire naturelle, au siège de *Life* et à l'université de Columbia.

[Page 34] – Sur les bords du Kali Ghandaki, au Népal, une jeune fille veille sur son petit frère pendant que leurs parents travaillent aux champs. Dans l'encadrement de la porte, on aperçoit leur grand-mère qui file du coton.

Nikon F3, 50 mm, Velvia/135, Exp. f11-1/125

Kelvin Patrick Jubb
Australie

Kelvin Patrick Jubb vit à Sydney, où il est employé dans une compagnie de transport maritime. Il fait des études supérieures d'art et de graphisme, puis de photographie. Il s'est d'abord spécialisé dans les paysages, puis à la naissance de son fils il a trouvé plus intéressant de fixer sur sa pellicule l'esprit d'une nouvelle vie.

[Page 22] – Dans une maternité bourdonnante d'activité de Penrith, en Australie, ce bébé né il y a moins de vingt-quatre heures fait l'expérience de son premier bain entre les mains caressantes de sa maman.

Pentax SF7, Macro 0.188–1 m, Ilford XP2 Super/135, Exp. non communiquée

Damrong Juntawonsup
Thaïlande

Damrong Juntawonsup a obtenu un diplôme d'enseignant à l'université de Ramkumheang. Il est aujourd'hui directeur d'une agence de photos et photographe indépendant à Bangkok.

[Page 175] – Vive le héros ! – Dans un village de la province de Chiangrai, en Thaïlande, des enfants acclament le vainqueur d'une course à son retour au pays.

Canon EOS 1N, 70–100 mm, Fuji Velvia/135, Exp. f5.6-1/125

Pat Justis
États-Unis

Pat Justis est photographe professionnelle et écrivain à Olympia, dans l'État de Washington. Ses travaux ont été présentés dans diverses publications, notamment Shots, Hope et le Sun, ainsi qu'à l'Exposition internationale de photographie du Nord-Ouest et dans plusieurs expositions individuelles.

[Page 229] – Une route de campagne à Olympia devient chemin d'aventure pour Keegan, 6 ans, et Graeme, 7 ans.

Pentax P30T, 90 mm, Ilford Delta 400/135, Exp. non communiquée

John Kaplan
États-Unis

John Kaplan est professeur à l'Université de Floride, où il enseigne la photographie et le design. Il a obtenu en 1992 le prix Pulitzer dans la catégorie photo magazine et en 1989, le prix Robert F Kennedy pour on travail remarquable sur les personnes défavorisées aux États-Unis. La même année dans la catégorie des journaux nationaux lors de la remise des prix de la Photo de l'année.

[Pages 4, 108 & 109] – Bonheur à deux : Xia Yongqing, 84 ans, et son neveu Yang Ziyun, 82 ans, se racontent des blagues dans le village de Nanyang, dans la province chinoise du Sichuan.

Nikon F5, 35 mm, Fuji/135, Exp. f4-1/250

[Page 124] – L'amour d'une grand-mère : paysanne nomade vêtue d'une robe faite de peaux de bêtes câline son petit-fils à Namtso, région reculée du Tibet

Nikon F5, 300 mm, Fuji/135, Exp. f4-1/1000

Everett Kennedy Brown
Japon

Everett Kennedy Brown est reporter au Japon. Ses photos paraissent régulièrement dans les médias japonais. Entre autres projets, il a réuni une documentation photographique sur les jardins botaniques historiques du monde entier et les rituels japonais en voie de disparition. Son ouvrage intitulé Eyes on Japan, réflexion sur la vie des grandes figures internationales du sport au Japon, a été largement salué par la critique.

[Page 238] – Au cours d'un voyage à travers les steppes de Mongolie intérieure, en Chine, des amis de fraîche date font une pause pour nourrir leurs chevaux et partager un tendre moment de calme.

Nikon F4, 1.4/35 mm, Kodak Tri-X/135, Exp. f5.6-1/60

Sombut Ketkeaw
Thaïlande

Sombut Ketkeaw est un photographe professionnel installé à Phanatnikhom Chonburi, en Thaïlande. Il dirige un studio spécialisé dans les mariages, les portraits et les photos de famille et travaille également pour des banques d'images. Sombut a participé à plusieurs expositions organisées dans son pays natal.

[Page 143] – Oncle Yoo, 67 ans, et Oncle Song, 72 ans, se détendent autour d'un pot de *uh* – boisson alcoolisée traditionnelle – après une longue journée de travail dans les environs de Nakornpanom, en Thaïlande.

Canon EOS 1N, 70–200 mm, Fuji Velvia/135, Exp. f5.6

Abu Taher Khokon
Bangladesh

Titulaire d'un diplôme de photograhie de Begart, Abu Taher Khokon exerce au Bangladesh depuis plus de quinze ans. Il a remporté le prix Accu au Japon en 1993, 1994 et 1996, puis les prix UN et AFEJ au Sri Lanka en 1998.

[Page 82] – Sieste à Khulna, Bangladesh : tandis que la famille se repose dans la chaleur étouffante, seule la mère reste debout.

Nikon FM2, 24–50 mm, Fuji/135, Exp. f5.6-1/60

Lorenz Kienzle
Germany

Né en Allemagne, Lorenz Kienzle a débuté comme assistant dans la photo de mode. Il a suivi une formation à l'école Lette-Verein de Berlin et travaille en indépendant depuis 1993.

[Page 295] – Détente en famille sur les bords de l'Elbe. Tandis que ses parents font la sieste après le pique-nique, le petit Jan, trois mois, se désaltère à sa façon.

Nikon FM2, 35 mm, Agfa 100/135, Exp. f5.6-1/60

Thomas Patrick Kiernan
Irlande

L'Irlandais Thomas Patrick Kiernan s'est intéressé à la photographie après avoir visité des expositions de Cartier-Bresson et de Kertész à New York. Entre deux boulots d'été, Thomas s'adonne à sa passion pour la photographie en Inde et en Égypte.

[Page 70] – Un petit garçon partage son ravissement avec sa mère en pataugeant sur la plage de Coney Island, à New York.

Olympus OM 1N, 1.8/50 mm, Ilford 400/135, Exp. f16-1/250

[Page 235] – Gracieuses malgré leur lourde charge — deux Indiennes marchent côte à côte pour aller vendre leurs légumes au marché de Calcutta.

Olympus OM 1N, 1.8/50 mm, Kodak Tri-X 400/135, Exp. f11/16-1/250

Paul Knight
Nouvelle Zélande

Paul Knight enseigne le japonais à l'université Massey de Palmerston North, en Nouvelle-Zélande. Passionné de photo, il s'est rendu au Japon grâce à une bourse de l'UNESCO en 1960. Ce voyage a suscité chez lui l'envie de fixer la culture japonaise sur la pellicule. Par la suite, il y a effectué un séjour de cinq ans. Ses photos ont ultérieurement fait l'objet de plusieurs expositions et d'une tournée nationale.

[Page 164] – Dans la petite bourgade animée de Wajima, au Japon, une habitante s'empresse de communiquer les dernières nouvelles à son amie.

Asahi Pentax, 105 mm, Kodak Tri-X/135, Exp. non communiquée

Viktor Kolar
République tchèque

Photographe depuis 1984, Viktor Kolar a remporté le prix international Mother Jones en 1991. Depuis 1994, il donne des cours de photo documentaire à l'académie des arts du spectacle FAMU d'Ostrava,en République tchèque.

[Page 27] – représentation printanière : Martie, 6 ans, chante pour sa sœur Terezie, 1 an, dans les environs d'Ostrava, en République tchèque.

Leica 111.B, 35 mm, NP7/135, Exp. f8-1/200

[Page 176] – Ces fidèles, âgées de plus de 70 ans, vont à la messe à Karvina. L'église de leur paroisse, où elles vont depuis plus de quarante ans, s'est enfoncée à 27 mètres sous terre en raison de la longue exploitation minière de leur ville. Elles font toujours une halte pour prier au pied de cette croix érigée en 1989 après la Révolution de Velours.

Leica M4, f35, Kodak Tri-X/135, Exp. f11-1/250

Yorghos Kontaxis
États-Unis

Yorghos Kontaxis est diplômé en beaux-arts de l'École d'arts visuels de New York. Comédien pendant treize ans en Grèce, il a également poursuivi aux États-Unis une carrière photographique variée, où ses travaux ont été présentés lors de nombreuses expositions individuelles et collectives. Lauréat du prix d'excellence de *Newsweek*, il a également obtenu le prix de mérite du magazine *Time/Life* et le prix de réalisation artistique du Rotary Club International de Syros.

[Page 206] – Coney Island, à New York – six amies ont pris le sable de la plage comme piste de danse, pour le plus grand plaisir des assistants.

Nikon FM2, Nikkor 24 mm, Kodak Tri-X/135, Exp. f8-1/125

Jerry Koontz
États-Unis

Photographe depuis une trentaine d'années, Jerry Koontz prend pour sujets des enfants, des gens, parfois des paysages, mais réalise aussi des portraits et des photos de mariage pour ses clients.

[Page 29] – Liaza,12 ans, et Adriana, sa petite sœur de 6 ans, jouent dans la rue du village d'Ajijic, au Mexique.

Nikon F5, Nikon 2.8/180 mm, Fuji Sensia/135, Exp. f4-1/125

Dmitri Korobeinikov
Russie

D'origine russe, Dmitri Korobeinikov est devenu photographe correspondant à sa sortie de l'Institut fédéral du travail culturel du Kemerovo. En 1975 et 1985, il a été lauréat de l'InterPress Photo, prix international décerné aux reporters-photographes. Actuellement, il travaille pour l'Agence de presse russe Novosti à Moscou.

[Page 94] – Jour de mariage dans le village russe de Gimenej : les pluies incessantes ont transformé la route en un lit de boue. Le marié aide à pousser la voiture tandis que la mariée cherche à s'abriter.

Nikon FE2, 35 mm, Cbema 200/135, Exp. f5.6-1/125

Tamás Kovács
Hongrie

Photographe professionnel depuis 1988, Tamás Kovács vit à Budapest et travaille pour l'Agence de presse de Hongrie.

[Pages 92 & 93] – Scène bouleversante à Vàc, en Hongrie : une famille de Tsiganes pleure la mort tragique d'un jeune garçon. Krisztián, 14 ans, a été poignardé par des camarades de classe qui l'accusaient de racket. Un orchestre traditionnel joue ses airs favoris au milieu des lamentations.

Nikon F3, 28 mm, Kodak/135, Exp. f5.6-1/60

Jarek Kret
Pologne

Jarek Kret a fait des études d'égyptologie à l'Université de Varsovie. Il a ensuite travaillé à la télévision nationale de Pologne où, en l'espace de trois ans, il a réalisé 150 émissions et 20 documentaires. Il a écrit deux livres et appartient actuellement à la rédaction de l'édition polonaise de *National Geographic.*

[Page 288] – Dans un village isolé de la côte ouest de Madagascar, cette jeune femme veillant tendrement sur son enfant n'a pas remarqué la présence du photographe.

Canon EOS Elan IIe, 75–300 mm, Fuji/135, Exp. non communiquée

Herman Krieger
États-Unis

Herman Krieger a débuté au service de photographie de la Packard Motor Compagny, tout en travaillant en indépendant pour des journaux. Après avoir obtenu un diplôme de mathématiques à l'université de Californie, à Berkeley, il est parti por l'Europe, où il a travaillé comme programmeur. Revenant à la photographie, il a préparé un diplôme supérieur d'arts à l'université d'Oregon, puis a publié un volume et exposé dans plusieurs galeries. Il est à présent associé de la Royal Photographic Society.

[Page 78] – Parmi les photos des siens dans sa maison de l'Oregon, Frances, 92 ans, évoque sa famille.

Fuji GW690II, 90 mm, Kodak T-max 400/120, Exp. non communiquée

Vladimir Kryukov
Russie

Né à Moscou, Vladimir Kryukov a fait des études de journalisme à l'université d'État de cette ville. Il a ensuite été photographe au magazine *Soviet Union* pendant sept ans avant de fonder une entreprise en 1990. Vladimir a remporté le grand prix de la Lentille d'or en Belgique en 1989 et tenu deux expositions individuelles à Moscou. Il a créé « Photodome », le site web de la photographie professionnelle de Russie.

[Page 94] – Après avoir nagé dans les eaux glacées de Moscou, ce couple de Russes se fait remarquer par des manifestations d'affection.

Nikon FM2, 2.8/300 mm, 135, Exp. f5.6-1/250

Philip Kuruvita
Australie

Photographe professionnel, Philip Kuruvit vit à Launceston, en Tasmanie. L'Institut australien de la photographie professionnelle lui a décerné le titre de maître en 1999, et il a été nommé photographe professionnel tasmanien en 2000.

[Page 36] – Les jumelles Summer et Melody ont choisi un bûcher pour terrain de jeu en Tasmanie, île située au sud de l'Australie.

Leica M6, 35 mm, Kodak T-max/135, Exp. non communiquée

Slim Labidi
France

Slim Labidi est un photographe actif depuis 1989 sous le pseudonyme de SLim SFax. Né à Tunis, il vit à Lyon depuis l'âge de 3 ans.

[Page 25] – Malik, né il y a un mois, concentre l'attention de ses parents, Cécile et Hafid, photographiés chez eux à Villeurbanne.

Minolta 7xi, 28–105 mm, Ilford Delta Pro/135, Exp. f3.5-1/125

Martin Langer
Allemagne

Né à Göttingen, Martin Langer vit à présent à Hambourg. Il a fait des études de journalisme et de photographie de presse à Bielefeld et travaille actuellement en indépendant pour des journaux et des maisons d'édition.

[Pages 178 & 179] – L'équipe de football de Marienborn vient de marquer un but, et ses supporters s'unissent dans la joie et le soulagement.

Nikon F2A, 85 mm, Kodak/135, Exp. f4-1/90

Mark LaRocca
États-Unis

Mark LaRocca s'est intéressé à la photographie dès l'enfance, alors que son grand-père, amateur passionné, lui montrait les diapositives de ses voyages à travers le monde. Ayant obtenu un diplôme d'ingénieur et d'histoire de l'Amérique du Sud à l'uiversité Cornell de New York, il a poursuivi ses études au Centre international de photographie de cette même ville. Il est actuellement photographe documentaliste indépendant.

[Page 20] – Cette jeune maman arbore un sourire ravi en admirant Cedric, son bébé de 36 heures, à l'hôpital de Newton, dans le Massachusetts.

Rolleiflex 2.8F, 80 mm, Kodak Tri-X/120, Exp. f2.8-1/60

Tzer Luck Lau
Singapour

Tzer Luck Lau, de Singapour, s'intéresse à la photographie depuis 1986. Diplômé en graphisme, il a travaillé comme photographe assistant, créateur d'images numériques et graphiste tout en pratiquant la photographie.

[Page 253] – L'isolement n'est pas nécessaire à l'intimité pour les jeunes de Manhattan. Ces étudiants sont absorbés par leur passion au milieu de l'animation d'une rue new yorkaise.

Leica R6, 35 mm, Kodak Tri-X/135, Exp. non communiquée

Ben Law-Viljoen
États-Unis

Ben Law-Viljoen est diplômé de chimie et de biochimie de l'université de Rhodes, en Afrique du Sud. Il a également fait des études de photographie à la faculté des beaux-arts de cette université, et travaille actuellement comme printer et photographe indépendant aux États-Unis.

[Page 106] – Soixante ans durant : Fransiena, 84 ans, tient un bouquet de moutarde sauvage que Willem, 93 ans, a cueilli pour elle. Ce couple devant sa maison de Haarlem, en Afrique du Sud, compte plus de soixante ans de mariage.

Pentax 6x7, 4/45 mm, Agfa Optima/120, Exp. f22-1/30

David Tak-Wai Leung
Canada

David Tak-Wai Leung est passionné de photographie depuis plus de trente ans. Son intérêt pour la nature et les vestiges des cultures anciennes l'a mené à travers le monde, notamment au Tibet, en Chine, en Amérique centrale et en Micronésie.

[Page 230] – Deux petits Mayas partagent rires et câlins à Panajachel, au Guatemala.

Canon Elan IIe, 75–300 mm, 135, Exp. f5.6-1/60

Al Lieberman
États-Unis

Al Lieberman, qui a grandi à Chicago, dans l'Illinois, a manifesté un goût pour l'art dès son plus jeune âge. Formé à l'enseignement des Arts à l'Académie des Beaux-Arts de Chicago, il est actuellement professeur de dessin dans une école élémentaire. C'est dans les années soixante, lors de la Convention des Démocrates à Chicago, qu'il a commencé à s'intéresser à la photographie. Aujourd'hui, ses travaux figurent dans les collections permanentes du Musée d'Art Moderne de New York et du Musée Américain de la Smithsonian Institution de Washington D.C., aux États-Unis.

[Page 332] – Train-train quotidien - Côte à côte, deux personnes âgées attendent patiemment la fin du cycle de séchage de leur linge. Le couple vit dans une communauté de retraités à Sun City Arizona, aux États-Unis.

Leica M3, 50 mm, Kodak Tri-X/135,Exp. f5.6-1/125

Robert Lifson
États-Unis

Robert Lifson est photographe depuis plus de vingt ans. Ses travaux l'ont conduit à travers l'Europe, le Mexique et les États-Unis et lui ont valu de nombreuses récompenses. Exposées dans les galeries et les musées du monde entier, ses photos font aujourd'hui partie de collections publiques et privées. Robert est actuellement employé par l'Institut d'Art de Chicago, dans l'Illinois.

[Page 337] – Sur un piédestal - Respect d'un fermier pour sa femme dans le village rural de Ruseni, en Roumanie.

Rolleiflex TLR, 75 mm, Ilford FP4/120, Exp. f3.5-1/50

Thanh Long
Vietnam

Thanh Long a développé sa première pellicule il y a plus de trente-cinq ans. Toujours photographe professionnel à Nha Trang, au Vietnam, il a remporté la médaille d'or au Salon international de la photographie Asahi Shimbun, au Japon, en 1988, 1995, 1997 et 1999. Son travail a fait l'objet d'expositions à travers l'Europe, l'Asie et l'Amérique du Nord.

[Page 2 & 3] – Visages de six jeunes amis durant la récréation à Phan Rang, au Vietnam

Nikon F2, 28 mm, 135, Exp. f5.6-1/30

[Page 127] – Innocence et sagesse saisies sur le vif à Phan Rang, au Vietnam : dans un moment de grande tendresse, une grand-mère de 86 ans partage sa longue expérience de la vie avec son petit-fils.

Nikon F2, 2.8/28 mm, Kodak Tri-X 400/135, Exp. f8-1/30

Kelley Loveridge
Nouvelle Zélande

Originaire de Nouvelle-Zélande, Kelley Loveridge a suivi à 17 ans une formation de photographe de presse grâce à une bourse d'études. Elle a quitté son pays pour travailler à l'étranger et a passé un an à Londres comme portraitiste. De retour en Nouvelle-Zélande, elle a poursuivi sa carrière de photographe professionnelle et a récemment créé son entreprise, Photography and Design, à Auckland.

[Page 270] – Moment d'intimité pour ce couple de futurs parents à Auckland.

Nikon F90X, 2.8/80–200 mm, Kodak Tri-X/135, Exp. non communiquée

Georgina Lucock
Australie

Georgina Lucock a obtenu un diplôme supérieur d'arts visuels et s'est spécialisée en photographie. Ayant achevé ses études en 1987, elle a accompli de nombreuses missions phographiques pour des magazines, des cabinets d'architectes et des agences de graphisme.

[Page 63] – Moment paisible : Kevin et Annette tiennent tendrement dans leurs bras leur petit Jai, 10 mois, à Bellingen, en Australie.

Mamiya TLR, C330 80 mm, Ilford FP4 Plus/120, Exp. f2.8/5.5-1/250

Tim Lynch
États-Unis

Photographe depuis plus de vingt ans, Tim Lynch a travaillé dans 27 pays ainsi que dans la plupart des États d'Amérique du Nord. Il se considère comme photographe généraliste et travaille aussi bien en studio qu'en extérieur. Il s'occupe actuellement de photo numérique pour des sociétés du Net.

[Page 168] – Les meilleurs amis – Leon et son père, Johnny, éboueurs, à Jasper dans le Nebraska, font une pause au cours de leur tournée de ramassage.

Nikon F3, 24 mm, Kodachrome/135, Exp. non communiquée

Simon Lynn
Nouvelle-Zélande

Né en Nouvelle-Zélande, Simon Lynn est titulaire de diplômes d'anthropologie et de médecine orientale. Il a aussi entrepris des études de photographie, mais a préféré devenir assistant pour acquérir de l'expérience. Il a travaillé dans la photo corporative, la mode et l'édition, et est actuellement photographe international.

[Page 175] – Sur la rive du lac Rotorua, en Nouvelle-Zélande, deux frères maori s'adressent un « hongi », échange de souffles en guise de salut. Entourés des membres d'une famille étendue, ils viennent de regagner la rive après une course en canoë, festivité du jour de Waitangi, la fête nationale de Nouvelle-Zélande.

Canon EOS 5, 200 mm, Kodak T-max/135, Exp. f5.6-1/125

Nathan Machain
États-Unis

Établi dans le sud de la Californie, Nathan Machain est photographe depuis trois ans, avec un intérêt particulier pour le documentaire et la photo de presse. Il travaille en indépendant pour le *Sun*, journal régional du comté de San Bernardino.

[Page 232] – Là où il y a un cœur, on a un chez-soi – dans une rue de San Bernardino, en Californie, deux sans-abri s'embrassent affectueusement.

Canon A2, 28–105 mm, Kodak Tri-X/135, Exp. f9.5-1/250

Madan Mahatta
Inde

Originaire du Cachemire, Madan Mahatta a obtenu un diplôme à l'école d'Art et d'Artisanat de Guilford, dans le Surrey, en Angleterre. Il dirige à présent une entreprise de photographie à New Delhi. Madan a obtenu de nombreux prix indiens et internationaux et a siégé dans des jurys de concours photographiques en Inde.

[Page 285] – Un homme veille tendrement sur son petit-fils dont les parents visitent une foire aux chameaux dans le désert du Rajasthan.

Nikon F2, 135 mm, Kodak Tri-X/135, Exp. f2.8-1/500

Karen Maini
États-Unis

Karen Maini se passionne pour la photo depuis son plus jeune âge. Elle vit actuellement à New York.

[Page 329] – Moment de paix au monastère zen du Mont Tremper, dans l'état de New York.

Rolleiflex, 3.5/75 mm, Kodak Tri-X/120, Exp. f8-1/125

Richard Majchrzak
Îles Salomon

Né dans les environs de Heidelberg, en Allemagne, Richard Majchrzak a fait des études d'anthropologie et de philosophie à Göttingen et à Berlin. Il a travaillé dans une publication comme photographe, rédacteur et maquettiste. Collaborateur de longue date de la *Grüne Kraft*, il a beaucoup voyagé et vit actuellement à Honiara, aux îles Salomon.

[Page 79] – On voit sur cette photo de famille les tatouages traditionnels de Ontong Java, dans les îles Salomon. Hommes et femmes se tatouaient le corps en signe de beauté et de statut social, jusqu'à ce que l'Église les incite à abandonner cette ancienne coutume.

Piotr Malecki
Pologne

Le Polonais Piotr Malecki a suivi des cours de cinéma à Katowice puis s'est rendu en Angleterre pour étudier l'art et la photographie à l'École des beaux-arts de Bournemouth et Poole. Ensuite, il est retourné en Pologne, où il est devenu photographe professionnel. Actuellement, il est installé à Varsovie.

[Page 260 & 261] – Adieux éplorés à la gare de Tallinn, en Estonie. Des marins de la flotte russe prennent congé de leurs petites amies estoniennes.

Konica Hexar, 35 mm, Ilford HP5/135, Exp. non communiquée

Francesca Mancini
Italie

L'Italienne Francesca Mancini a suivi des études universitaires de psychologie dans sa ville natale de Rome. Récemment, elle a décidé d'entamer une carrière de photographe en se penchant plus particulièrement sur le sort des réfugiés du Kosovo en Italie. Elle travaille désormais comme reporter et photographe indépendant pour diverses agences de presse de Rome.

[Pages 150 & 151] – Unies par le chagrin – dans un moment de solidarité, une jeune femme du Kosovo réconforte son amie dont le mari a été tué par une mine.

Nikon F100, 35 mm, Kodak Tri-X/135, Exp. non communiquée

Jinjun Mao
Chine

Ayant étudié la photographie durant sa formation militaire en Chine, Jinjun Mao est devenu reporter pour la revue de l'armée *Renmin Qianxian*. À son retour à la vie civile, il est devenu photographe professionnel et membre de l'Association des photographes chinois. Il a collaboré à de nombreuses publications et participé à des expositions nationales et internationales. Actuellement, Jinjun travaille au studio de photographie Ah Mao à Songjiang, dans son pays natal.

[Pages 166 & 167] – Dans le village chinois de Shuinan, un visiteur de 5 ans amuse la galerie pour le plus grand plaisir de son grand-père et des amis de celui-ci.

Canon AE1, 50 mm, Konika/135, Exp. f5.6-1/125

Dave Marcheterre

Canada

Dave Marcheterre est diplômé du CEGEP de Matane et de l'université du Québec. Il vit actullement à Montréal, où il travaille comme photographe et graphiste.

[Page 111] – Joue contre joue : père et fille se serrent l'un contre l'autre dans le froid matinal de la Gaspésie.

Contax 137 MA, 135 mm, Kodak/135, Exp. non communiquée

Tatiana D Matthews

Espagne

Née au Chili, Tatiana D. Matthews a obtenu un diplôme d'histoire de l'art à l'Université de Barcelone, en Espagne, et travaille comme photographe professionnelle depuis 1998.

[Page 271] – Merce, 32 ans, met au monde son troisième enfant dans sa maison d'Argentona, en Espagne. Après ses deux premiers accouchements à l'hôpital, elle a décidé d'avoir ce bébé chez elle, entourée de sa famille et de ses amis. Enric, son compagnon, lui masse le dos pour atténuer la douleur.

Nikon FM, 35 mm, Kodak T-max/135, Exp. non communiquée

Jenny Matthews

Royaume-Uni

Photographe depuis 1982, Jenny Matthews aborde des thèmes sociaux en Grande-Bretagne et dans d'autres pays. Elle a aussi beaucoup travaillé en Amérique latine et en Afrique, et a effectué de nombreuses missions pour des organisations comme Save The Children et Oxfam. Elle a contribué à fonder Format, une agence photographique de femmes

[Page 89] – Étreinte bouleversante : au Rwanda, Épiphanie, dont les enfants ont été victimes du génocide, vient de retrouver sa nièce Uwimana, l'unique survivante de sa famille.

Nikon F4, 50 mm, Kodak Tri-X/135, Exp. f5.6-1/60

Stephen McAlpine

Australie

Diplômé de l'université Griffith de Brisbane, Stephen McAlpine a été enseignant pour des enfants handicapés mentaux jusqu'à ce qu'il fonde son entreprise photographique en 1995. Il prépare actuellement une maîtrise de photographie à l'Institut australien de photographes professionnels.

[Page 95] – Le regard d'une grand-mère au mariage de sa petite-fille à Brisbane.

Nikon F4, 2.8/80–200 mm, Kodak TMY/135, Exp. f4-1/125

Tony McDonough

Australie

Né à Liverpool, en Angleterre, Tony McDonough a émigré en Australie dans les années 1960. Depuis plus de vingt ans, il collabore à des journaux et à des magazines, dans les domaines de l'information et des sports.

[Page 19] – Bienvenue au monde : un père fixe sur la pellicule la toute première inspiration de sa fille. Sophie est née par césarienne dans un hôpital d'Attadale, en Australie.

Nikon F90X, 35–70 mm, Fuji 800/135, Exp. f5.6-1/250

John McNamara

États-Unis

Titulaire d'une maîtrise d'art de l'Université de San Francisco, John McNamara est à présent photographe de presse indépendant. Ses clichés lui ont valu des récompenses internationales et il a obtenu la mention honorable au concours Best of Photography de 1999. Il assure bénévolement la fonction de photographe officiel des Special Olympics.

[Page 298] – Les Special Olympics à Union City, en Californie – Daryl serre dans ses bras avec amour et fierté JR, son fils qui vient de terminer son épreuve.

Canon EOS 1, 2.8/300 mm, Ilford HP5 Plus/135, Exp. 1/1000

Marcio RM

Brésil

Marcio Resende De Mendonca E Silva est photographe professionnel au Brésil depuis 1982 sous le pseudonyme de Marcio RM. Ses travaux ont paru dans diverses publications brésiliennes telles le magazine *Isto É* et le journal *O Estado de São Paolo*. Il a également participé à des expositions dans son pays et à l'étranger.

[Page 262] – Deux jeunes gens s'embrassent tendrement dans la foule tandis que défile le cortège du carnaval, à Rio de Janeiro.

Canon F1, 85 mm, Ilford HP5 Plus/135, Exp. f2.8-1/1000

Darien Mejía-Olivares

États-Unis

Originaire du Mexique, Darien Mejía-Olivares a fait des études supérieures de journalisme et de photographie. En 1996, elle s'est établie à New York où elle a conforté sa passion pour la photographie en suivant des cours à l'université et à l'école d'arts visuels. Darien a été finaliste au concours du magazine *Forum*.

[Page 204] – Un couple de danseurs – à New York, Harry et Margaret, 2 ans, ne peuvent s'empêcher de s'embrasser sur la piste de danse.

Minolta Maxxum 7000 AF, 50 mm, Kodak T-max 400/135, Exp. non communiquée

Bernard Mendoza

États-Unis

Bernard Mendoza a débuté dans les années 1960 et ses studios de Londres, d'Amsterdam et de Houston ont vu défiler de nombreuses personnalités. Il a exposé dans les Galeries nationales de portraits d'Angleterre et d'Écosse, à la Royal Photographic Society, au musée d'Art moderne de Houston et au musée d'Art de Denver. Certaines de ses photos figurent dans la collection on-line de la Smithsonian Institution.

[Page 161] – Deux inséparables sœurs ukrainiennes, photographiées lors d'une visite à Cleveland, Ohio.

Nikon, 80 mm, Kodak Tri-X/135, Exp. f11-1/125

Melissa Mermin

États-Unis

Après avoir obtenu un diplôme de peinture à l'école supérieure d'art du Massachussetts, Melissa Mermin a suivi des études de photojournalisme. Elle vit aujourd'hui à Cambridge, dans le Massachussetts où elle exerce le métier de photographe.

[Page 266] – Préparatifs d'un mariage à Boston – à l'encontre de toute tradition, Doug vole un baiser à sa fiancée Jennifer avant même qu'ils aient revêtu leur tenue de cérémonie.

Canon A2, 24 mm, Ilford XP2/135, Exp. f5.6-1/30

Leigh Mitchell-Anyon

Nouvelle-Zélande

Leigh Mitchell-Anyon est diplômé de photographie de l'Institut néo-zélandais de photographes professionnels. Il a été couronné au concours annuel de cette institution catégorie tirage en 1991 et catégorie portrait en 1996. Il travaille actuellement comme photographe commercial et éditorial.

[Page 73] – Vacances en famille : on adopte une tenue estivale sur l'île Waiheke à Auckland.

Leica M3, 3.5/35 mm, Kodak GA100/135, Exp. f8-1/125

Rinaldo Morelli

Brésill

Rinaldo Morelli est photographe depuis plus de quinze ans. Vivant au Brésil, il a tenu trois expositions individuelles et poursuit actuellement des études à l'université de Brasilia. Rinaldo est membre fondateur du groupe de photographes « Ladrões de Alma » (Voleurs d'âme).

[Page 223] – Moi et mon ombre – en visitant le zoo, deux petits Brésiliens, Pietro, 4 ans, et Yuri, 5 ans, ont eu l'idée de créer d'étranges animaux fantastiques.

Nikon F3, 24 mm, Ilford/135, Exp. f11-1/60

Stacey P Morgan

États-Unis

Stacey P. Morgan est photographe de presse depuis plus de quinze ans. Elle a travaillé pour le *New York Times*, le *Baltimore Sun* et le *Philadelphia Inquirer*. Ses travaux ont également paru dans des magazines, notamment *Sports Illustrated, Golf Illustrated* et *Vogue*. Stacey a remporté plus de quarante prix dans des concours nationaux et internationaux, et ses œuvres figurent dans des galeries, musées et collections du monde entier.

[Page 120] – À Chester Springs, en Pennsylvanie, le petit David, 5 ans, écoute attentivement son grand-père qui lui lit une histoire.

Nikon F3, 2.8/20 mm, Kodak Tri-X/135, Exp. non communiquée

[Page 291] – À New York, Anne et son petit garçon Robert découvrent que la chambre est un endroit idéal pour jouer à cache-cache.

Nikon, 2.8/20 mm, Kodak Tri-X 400/135, Exp. non communiquée

P Kevin Morley

États-Unis

P. Kevin Morley est titulaire d'un diplôme de journalisme de l'université de Missouri-Colombia. Depuis 1984, il est photographe du *Richmond Times-Dispatch* en Virginie. Il est également formateur en photojournalisme à l'université de Richmond.

[Page 202 & 203] – Une note de gentillesse – à un arrêt de bus de Richmond, une personne âgée tend le bras vers Jeffrey, bébé de 15 mois.

Nikon F3, 2.8/300 mm, Kodak Ektachrome/135, Exp. non communiquée

Debashis Mukherjee (Deba)

Inde

Diplômé d'études scientifiques, Deba (Debashis Mukherjee) travaille dans le secteur bancaire à Calcutta, en Inde. Ayant commencé à s'intéresser sérieusement à la photographie en 1996, il prépare actuellement un diplôme dans cette discipline.

[Page 313] – Dans le village indien de Champahati, une grand-mère de 70 ans fait la sieste après le repas. Elle partage ce moment privilégié avec son petit-fils qui l'enlace tendrement.

Pentax K1000, 28 mm, Ilford/135, Exp. f2.8-1/8

Aris Munandar

Indonésie

Aris Munandar vit en Indonésie. Son intérêt pour la photographie s'est éveillé à la vue des reportages consacrés à son pays natal publiés dans des revues nationales. Il a acheté son premier appareil durant ses études et consacre aujourd'hui la majeure partie de ses loisirs à la photographie.

[Pages 172 & 173] – Malgré l'animation de la ville indonésienne de Wamena, deux hommes de la tribu des Dani prennent le temps de faire une pause. Vêtus de leurs costumes traditionnels et armés de haches et de lances artisanales, ils sont venus à Wamena pour leurs affaires et pour recontrer des gens.

Nikon F90, f5.6, Fuji/135, Exp. 1/60

Rashid Un Nabi

Bangladesh

Rashid Un Nabi est assistant au service de radiothérapie du CHU de Chittagong, au Bangladesh. Il a remporté depuis 1986 trente prix nationaux et plus de quarante récompenses internationales pour ses photos. Il a également obtenu un prix d'excellence de la FIAP (Fédération internationale d'art photographique).

[Page 35] – Ces deux jumeaux ont été photographiés sur Elephant Road à Dhaka, au Bangladesh. L'un d'eux, infirme de naissance, est porté par son frère.

Contax 159 mm, Tamron SP 70–210 mm, Konica Super XG 100/135, Exp. non communiquée

Y Nagasaki

États-Unis

Originaire du Japon, Y. Nagasaki vit aujourd'hui à New York, aux États-Unis. Il est diplômé de l'Université Aoyama Gakuin à Tokyo et de l'Université de Long Island à New York. En outre, il a obtenu un diplôme de photographie à l'Université de New York. Y. Nagasaki est un photographe professionnel dont les travaux ont été exposés et publiés dans le monde entier.

[Page 347] – Main dans la main dans les vagues - Un couple âgé oublie le reste du monde sur la plage de Sandy Hook dans le New Jersey, aux États-Unis.

Nikon F4S, Nikkor 35–70 mm, Kodak Tri-X/135, Exp. non communiquée

LAURÉAT DE LA CATÉGORIE «AMOUR» DU CONCOURS M.I.L.K.

Abel Naim

Venezuela

Abel Naim a fait des études de photo et de cinéma à Valencia, au Venezuela. Il est ensuite devenu photographe éditorial indépendant et ses travaux ont été publiés dans d'éminentes revues d'art et de photographie de son pays. Il a également exposé au Brésil, au Canada, à Cuba, en Finlande et aux États-Unis.

[Page 300] – Dans un centre d'activités pour les communautés défavorisées de Caracas, des enfants apprennent à communiquer et à exprimer leurs émotions. Tandis que Durbin, l'éducatrice serre dans ses bras son jeune élève, leurs visages rayonnent de bonheur et d'affection.

Canon AE1, 135 mm, Kodak/135, Exp. f2.5-1/60

J D Nielsen

États-Unis

J. D. Nielsen est né en Californie. Durant ses vingt et une années de service au sein de la marine américaine, il a beaucoup voyagé aux États-Unis, en Europe, en Asie et en Amérique centrale. Aujourd'hui il poursuit des études de journaliste-photographe dans l'espoir de faire carrière dans ce domaine.

[Page 338] – Les clients de Joe, cordonnier à Covina, en Californie, ne peuvent ignorer les liens privilégiés qui l'unissent à son épouse : ses remarques continuelles l'obligent à fermer boutique le lundi.

Nikon F2, 55 mm, Kodak T-max 400/135, Exp. non communiquée

Jana Noseková

République tchèque

Jana Noseková a suivi une formation à l'école de photographie de Bratislava, en Slovaquie, et après avoir obtenu son diplôme elle a été engagée à CTK, l'agence de presse tchécoslovaque. Elle vit actuellement à Prague et travaille comme photographe d'informations au grand journal tchèque *DNES*. En 1977, Jana a remporté un prix au concours national de photo de presse.

[Page 174] – Jeux et rires dans l'eau pour ce groupe de baigneurs à Constanza, en Roumanie.

Nikon F5, 2.8/35–70 mm, Fuji 400/135, Exp. f11-1/125

Tetsuaki Oda

Japon

Diplômé de l'université Jiyu Gakuen de Tokyo en 1967, Tetsuaki Oda a débuté comme photographe dans l'entreprise de son père avant de monter son propre magasin. En 1995, celui-ci a été détruit par le tremblement de terre de la ville de Kobe et Tetsuaki travaille à présent comme photographe indépendant.

[Page 223] – Distraction en plein air – deux enfants s'amusent pendant l'entracte d'un concert en plein air à Linköping, en Suède.

Leica M6, 1.4/35 mm, Kodak TMY/135, Exp. f8-1/500

Toshihiro Ogasawara

Japon

Né à Hyogo, au Japon, Toshihiro Ogasawara a obtenu un diplôme de l'Institut japonais de photographie en 1997 et travaille à présent en indépendant.

[Page 54] – L'heure du bain est aussi celle de la récréation pour Atsuki et ses deux fils, Yuya, 1 an, et Kazuki, 3 ans, dans leur maison de Hyogo, au Japon.

Canon IOS 1, 28–105 mm, Fuji Monochrome 400/135, Exp. f5.6-1/60

J Michael O'Grady

États-Unis

Travaillant dans la technologie de communication dans le Maryland, J Michael O'Grady est un photographe amateur passionné depuis l'âge de 15 ans.

[Page 73] – Maggie, 3 ans, la fille du photographe, est intriguée par les pitreries de Patrick, son frère âgé de 5 ans, dans le jardin familial de Frederick, dans le Maryland.

Nikon FM2, 85 mm, Kodak T-max 100/135, Exp. non communiquée

Adriaan Oosthuizen

South Africa

Adriaan Oosthuizen est professionel de l'environnement. Il a découvert la photographie en travaillant comme assistant au cours d'un séjour à Londres. Il vit actuellement au Cap, où il est photographe à plein temps.

[Pages 86 & 87] – Un Chelsea Pensioner, reconnaissable à son uniforme rouge et noir, profite d'un moment de quiétude en compagnie de sa fille dans un parc londonien. Les Chelsea Pensioners sont des anciens combattants ou des militaires à la retraite.

Canon EOS 1, 28–70 mm, Kodak/135, Exp. f5.6-1/60

Ricardo Ordóñez

Canada

Natif d'Ottawa, au Canada, Ricardo Ordóñez a vécu dans de nombreux pays des Antilles et d'Amérique du Sud ainsi qu'aux États-Unis et au Canada. Photographe autodidacte, il travaille depuis plus de treize ans pour un large éventail de clients sur des thèmes tout aussi variés. Sa société porte le nom de PhotoSure.com. Ses photos ont déjà paru dans divers médias du monde entier.

[Page 333] – Noces de diamant - L'amour, le respect et soixante années de mariage unissent Henri et Violet Mayoux. Le couple échange un regard amusé avant de découper son gâteau d'anniversaire, dans l'Ontario, au Canada.

Nikon F4S, 2.8/35–70 mm, Kodak Ektachrome/135, Exp. f4-1/60

Dilip Padhi

Inde

Dilip Padhi, de l'État d'Orissa, en Inde, est photographe amateur passionné depuis 1980. Il est licencié de la Royal Photographic Society of America. Dilip s'intéresse particulièrement à la nature, aux paysages et aux portraits, et ses travaux ont été présentés dans un grand nombre de galeries nationales et internationales.

[Page 201] – Dans un petit village près de Sambalpur, en Inde, deux petites camarades partagent un moment de réflexion.

Nikon F801S, Nikkor 70–210 mm, Kodak/135, Exp. f8-1/125

Amelia Panico
États-Unis

Amelia Panico a obtenu un diplôme d'art, spécialité photo, à l'institut Pratt de New York. Elle est aujourd'hui photographe médicale et travaille en indépendante en studio et en extérieurs. Elle a exposé aux États-Unis, en France et en Australie, et ses travaux dans le domaine médical ont paru dans d'importantes revues internationales.

[Page 163] – À New York, moment d'affection et de compassion entre une jeune infirmière et Carolina, sa patiente âgée de 97 ans.

Hasselblad 500C, 120 mm, Kodak Tri-X/120, Exp. f8-1/60

Jacqueline Parker
Royaume-Uni

Jacqueline Parker est diplômée de photographie pour l'édition. Elle prépare actuellement une maîtrise d'art en illustration et conception séquentielle à l'Université de Brighton, en Angleterre.

[Page 305] – Les meilleurs amis – compagnons inséparables, Christopher, 7 ans et son chien Billy se reposent de leurs espiègleries.

Bronica SQA, 80 mm, Kodak T-max/120, Exp. f11-1/250

Aris Pavlos
Grèce

Né en Grèce, Aris Pavlos a fait des études de photographie à l'École supérieure de technique d'Athènes. Il a enseigné à des groupes d'amateurs et dans un centre de réadaptation, et se consacre actuellement à la photographie documentaire.

[Page 234] – La sagesse du grand âge – il ne fait pas chaud dans le café de Gravena, en Grèce, où deux amis, Blionas, 92 ans, et Tsigaras, 90 ans, sont en grande conversation, aussi ont-ils gardé leurs manteaux.

Nikon F3, 135 mm, Ilford HP5/135, Exp. f25

Ray Peek
Australie

Ray Peek a débuté en 1947 et a monté en 1955 un studio spécialisé dans le portrait, la photo de mariage et de presse. Il a remporté en 1989 le premier prix du Hasselblad Portrait Competition, et en 1999 le second prix du Hasselblad Old Masters Competition.

[Page 59] – Auprès du chef de famille, une autre génération apprend à rassembler les bêtes. Dans le sud du Queensland, en Australie, « Big » Morrie Dingle et ses petits-fils ont mis pied à terre pour se reposer et casser la croûte.

Hasselblad 500 CM, 150 mm, Kodak T-max 400/120, Exp. f8-1/125

George Peirce
États-Unis

George Peirce est diplômé de l'Université d'État de New Paltz, état de New York. Il a débuté comme photographe indépendant en 1984 et travaille actuellement comme photographe commercial spécialisé dans l'architecture et l'industrie, pour des journaux, revues, livres et publicités. Il pratique également la photo d'art, et a exposé aux États-Unis.

[Page 305] – À Point Pleasant, dans le New Jersey, DD, 12 ans et sa sœur Georgia, 10 ans, sont ravies de leur nouvel ami à quatre pattes. Le photographe – George Peirce, leur père – a fixé l'instant de leur rencontre avec ce chiot de huit semaines nommé Atlantis.

Leica CL, Summicron-C 40 mm,Kodak T-max 400/135, Exp. f4-1/125

Renate Pfleiderer
États-Unis

Renate Pleiderer a obtenu une maîtrise de photographie en Allemagne. Elle a été photographe de mode et de publicité dans son studio de Hambourg avant de s'installer aux États-Unis. Spécialisée dans le portrait et les photos de mariage, elle a actuellement un studio, Photo Renate, à Sag Harbor, dans l'état de New York. Elle a remporté de nombreux prix au cours de sa carrière et on a pu voir ses travaux dans des revues et à la télévision.

[Page 267] – Le bonheur de deux jeunes mariés de Long Island, à New York – Travis a rattrapé le voile de Camille emporté par le vent, mais il ne peut s'empêcher de l'essayer avant de le restituer à sa jeune épouse.

Leica R4, 35–70 mm, Kodak TMZ/135, Exp. f16-1/250

Rachel Pfotenhauer
États-Unis

Vivant dans le Colorado, Rachel Pfotenhauer pratique la photographie depuis huit ans. Elle se consacre à des travaux documentaires et éditoriaux aussi bien qu'à la photo commerciale ou de collection. Elle est également écrivain et ses œuvres, écrites et viuselles, ont paru dans plusieurs journaux, revues et livres.

[Page 102] – Entourés de leur famille, Jean et Paul fêtent leurs cinquante ans de mariage au lac Tahoe, en Californie. Leurs enfants et petits enfants réunis pour cette occasion particulière dansent la ronde autour du couple ravi.

Nikon N90, 35–80 mm, Kodak/135, Exp. f4-1/15

Heather Pillar
Taiwan

Heather Pillar a été pendant dix ans photographe professionnelles à Boston, aux États-Unis, avant de s'établir comme professeur d'art à Taipei. Quand elle était à Boston, elle a passé six mois à suivre Morrie Schwartz et son combat contre la sclérose latérale amyotrophique, connue sous le nom de maladie de Lou Gehrig.

[Page 90] – Rob Schwartz et son père Morrie. Mitch Albom, écrivain et ancien étudiant de Morrie, a repris contact avec lui après l'avoir vu à la télévision. Il en a résulté l'émouvant best-seller *Tuesdays with Morrie*, (Les Mardis avec Morrie), où Alborn relate les moments passés avec son ancien professeur les quatorze derniers mardis de sa vie.

Canon EOS A2, 50 mm, Kodak T-max 400/135, Exp. f4-1/30

Cristina Piza
Allemagne

Originaire du Costa Rica, Cristina Piza a travaillé quelque temps au Royaume-Uni et à Berlin. Ses travaux les plus récents, qui traitent essentiellement de Cuba et de sa population, ont fait l'objet de nombreuses expositions et lui ont valu quantités de commandes et de récompenses.

[Page 141] – Les vieux amis musiciens Ruben et Ibrahim fêtent la sortie de leur nouveau CD dans un café madrilène, en Espagne.

Hasselblad 500C, 80 mm, Kodak/120, Exp. non communiquée

Bernard Poh Lye Kiat
Singapour

Bernard Poh Lye Kiat est un photographe chinois qui vit à Singapour. Son diplôme de la SAFRA et un prix de meilleur étudiant en poche, il a ouvert une boutique de photo. Bernard a remporté plus de vingt premiers prix lors de divers concours, notamment au concours « Détente à Singapour » organisé par le *Straits Times*, au concours de photos de mannequin du salon de 1992 organisé par Nikon et au concours Canon Members.

[Page 209] – Noël à Singapour – tandis que le photographe décore sa vitrine pour les fêtes, les enfants malicieux de son entourage font tout ce qu'ils peuvent pour le distraire.

Nikon F90X, 35–90 mm, Fuji/135, Exp. f11-1/30

Ted Polumbaum
États-Unis [1924 - 2001]

Titulaire d'un diplôme universitaire d'histoire, Ted Polumbaum a été journaliste dans un quotidien et à la télévision avant d'entamer une carrière de photographe. Il a alors travaillé pour diverses sociétés et publications, notamment *Life*. Il a également publié des livres de photos, dont *Today is Not Like Yesterday : A Chilean Journey* (Aujourd'hui n'est pas comme hier : voyage au Chili), ouvrage hautement apprécié retraçant ses expériences au Chili.

[Page 177] – Les membres du « club de l'Ours polaire » ne sont pas gênés par le froid en prenant le soleil ce jour d'hiver à Coney Island, New York. Les spectateurs n'ont pas les mêmes libertés vestimentaires.

Leica M3, 35 mm, Kodachrome/135, Exp. non communiquée

Kamthorn Pongsutiyakorn
Thaïlande

Kamthorn Pongsutiyakorn a obtenu un diplôme de cinéma et de photographie à l'Institut Technique de Bangkok. Il dirige aujourd'hui son propre studio dans la région de Chonburi en Thaïlande.

[Page 312] – Une grand-mère et sa petite-fille dans leur jardin, dans la région thaïlandaise de Chonburi.

Contax 167MT, 80–200 mm, Agfa/135, Exp. f4-1/60

Linda Pottage
Australie

Linda Pottage vit à Victoria, en Australie. Après un début de carrière d'écrivain, elle a lancé une marque de vêtement. C'est en travaillant comme styliste auprès des photographes chargés de la promotion de ses créations que s'est développé son intérêt pour la photographie. Aujourd'hui Linda est spécialisée dans le portrait. Lauréate de divers prix, elle participe régulièrement à des expositions de photos à Melbourne, en Australie.

[Pages 74 & 75] – Couvert de guirlandes de marguerites, le chien de la famille est enterré par un matin d'hiver à Menzies Creek, près de Victoria, en Australie. La photographe, à droite, et ses enfants, Zeke, Zoë et Jesse, disent adieu à Leo qui va reposer sous le prunier.

Canon EOS 1N, 55 mm, Kodak T-max/135 Exp. non communiquée

Romualdas Požerskis

Lithuanie

Après des études d'ingénieur en électricité à l'Institut Polytechnique de Kaunas en Lituanie, Romualdas Požerskis a travaillé à la Société lituanienne d'Art Photographique. Photographe indépendant depuis 1980, il enseigne l'histoire et l'esthétique de la photographie à l'université. En 1991, son pays lui a décerné un prix pour son œuvre culturelle. Depuis 1994, il adhère à la FIAP (Fédération Internationale de l'Art Photographique).

[Page 193] – Salut débordant d'enthousiasme pour cette Lituanienne dans les rues de la vieille cité de Kaunas.

Minolta xD-11, 24 mm, Svema 400/135, Exp. f8-1/250

[Page 341] – Repas clandestin – en Lituanie, une vieille femme persiste à nourrir ses amis félins malgré l'interdiction de ses propriétaires.

Minolta X700, 70–210 mm, Svema 400/136, Exp. f5.6-1/250

[Page 345] – Dans une bourgade de Lituanie, des familles se rassemblent une fois par an à l'occasion d'un pèlerinage catholique. Après une journée de cérémonies, deux anciens se disent adieu avant de prendre le chemin du retour.

Minolta SRT102, 50 mm, Svema 400/136, Exp. f11-1/250

Surendra Pradhan

Inde

Professeur de lycée en Inde, Surendra Pradhan s'intéresse à la photographie depuis 1972. Il fait partie de la Société royale de photographie d'Angleterre depuis 1984 et de la FIAP (Fédération internationale de l'art photographique) depuis 1995. Ses photos ont été présentées dans de nombreuses galeries nationales et internationales.

[Page 153] – Dans les rizières indiennes, le rire et l'amitié illuminent les visages de deux jeunes ouvrières.

Pentax Spotomatic II, 135 mm, Ilford/135, Exp. f8-1/125

Devang Prajapati

Inde

Devang Prajapati est issu d'une famille d'artistes de l'image : son père et son grand-père sont portraitistes et son oncle photographe commercial. Devang a exercé l'enseignement artistique pendant cinq ans avant de devenir photographe indépendant. Il vit à Ahmedabad.

[Page 312] – Dans la ville d'Ahmedabad, le petit Forun, 1 an, est fasciné par le visage de Mrs. Champaben, une vieille dame du voisinage.

Nikon FM10, 35–70 mm, Fuji/135, Exp. f8-1/60

Greta Pratt

États-Unis

Greta Pratt a débuté en photographiant des foires régionales à travers les États américains du Middle West – photos rassemblées par la suite dans un livre. Ses travaux ont paru dans divers magazines dont le *New York Times*, le *New Yorker* et *Harpers*. Elle est représentée dans les collections permanentes du musée national d'Art américain, de la Smithsonian Institution, du musée des Beaux-Arts de Houston et de l'institut d'art de Minneapolis.

[Page 158] – L'été dans le New Jersey – les grands copains Axel et Colby se reposent en mangeant une glace entre deux baignades.

Fuji 645, 60 mm, Kodak T-max/120, Exp. f5.6-1/60

Duane Prentice

Canada

Duane Prentice a débuté an Salvador en 1987. Il a effectué plusieurs missions photographiques dans le monde entier, notamment avec Médecins sans frontières et Orbis International, les « ophtalmologistes volants ». Ses travaux ont paru dans diverses publications internationales, dont le magazine *Life*.

[Page 115] – À plusieur générations l'une de l'autre, mais unies par l'amour familial : Doma et son arrière-grand-mère sont à l'aise, paisiblement installées sur le toit en terrasse de leur maison au Ladakh, dans le nord de l'Inde

Canon A1, 105 mm, Agfa Scala slide/135, Exp. f11-1/125

Jennifer Prunty

États-Unis

Jennifer Prunty a commencé sa carrière de photographe dans un journal universitaire, puis elle est devenue responsable photographique de l'annuaire de sa faculté et, ses études terminées, s'est lancée comme photographe indépendante. Elle a repris ses études en 1995 pour préparer une maîtrise en photojournalisme documentaire.

[Page 183] – Une épaule amicale – perturbée parce qu'elle n'a pas pu avoir son chèque d'aide sociale, « Mama Sue » est réconfortée par une amie. Les deux femmes font partie d'un groupe de sans-abri, « The Family », vivant dans un parc de San Francisco.

Nikon 2000, 50 mm, Kodak Tri-X/135, Exp. f5.6-1/60

Minh Qúy

Vietnam

Minh Qúy a suivi une formation universitaire de professeur des beaux-arts au Vietnam. Il travaille comme photographe professionnel et possède son propre studio à Hô Chi Minh-Ville depuis 1987.

[Page 143] – Deux sœurs, toutes deux âgées de plus de 80 ans, s'embrassent affectueusement et partagent un moment intime dans la province vietnamienne de Binh Duõng.

Nikon FM2, 35–135 mm, Konica/135, Exp. f5.6-1/60

Jeremy Rall

États-Unis

Par sa formation de photographe d'édition et de plateau, Jeremy s'est intéressé à la réalisation cinématographique et a suivi des études de cinéma à l'Université de Notre-Dame aux États-Unis. Ses travaux dans ce domaine lui ont valu le prix James O'Toole et il a été sélectionné pour participer à un programme de recherche à l'American Film Institute. Il vit à Los Angeles et est à présent réalisateur, éditeur et photographe.

[Page 286] – Un père soulève son petit garçon pour qu'il voie le spectacle d'un festival de rue à Santa Monica, en Californie.

Pentax Super ME, 50 mm, Kodak Plus-X 125/125, Exp. non communiquée

Gabi Reichert

Allemagne

Gabi Reichert s'occupe à plein temps de ses trois enfants, mais se passionne aussi pour la photographie depuis une vingtaine d'années.

[Page 22] – À Bubenheim, en Allmagne : Amy-Sophia, huit mois, est à l'image même du bien-être à l'heure du bain avec Gabi, sa maman photographe.

Contax AX, 85 mm, Fuji Neopan 1600/135, Exp. f2.8-1/60

Sayyed Nayyer Reza

Pakistan

Sayyed Nayyer Reza vit à Lahore. Ses travaux, exposés dans trente-cinq pays, ont remporté de nombreuses récompenses. La Société photographique d'Amérique l'a classé parmi les vingt-cinq meilleurs exposants mondiaux des six dernières années pour ses clichés en couleur. Il est également membre de la FIAP (Fédération Internationale d'Art Photographique).

[Pages 314 & 315] – Affection et sollicitude comblent le fossé des générations à Lahore, au Pakistan. Suman, 9 ans, partage un moment de gaîté avec une vieille dame du voisinage simplement appelée Amman (« mère » en langue urdu).

Rogério Ribeiro

Brésil

Rogério Ribeiro s'intéresse à la photographie depuis qu'on lui a offert son premier appareil photo à l'âge de 7 ans. Il a fait des études de photographie dans le cadre d'un cursus artistique à l'université fédérale de Rio Grande Do Sul, au Brésil. Il reste dans son domaine d'intérêt en étudiant actuellement l'histoire de la photographie et en développant un projet de portraits de famille.

[Page 187] – Soutien de famille – dans les rues de Porto Alegre, au Brésil, ce jeune Brésilien portant sa caisse de cireur à l'épaule pose un bras protecteur sur son petit frère.

Yashica FX, 38 mm, Kodak Tri-X/135, Exp. f5.6-1/60

Malie Rich-Griffith

États-Unis

Malie Rich-Griffith vit à Kailua, dans l'archipel d'Hawaii. Sa fascination pour la photographie date d'un voyage en Afrique de l'Est effectué en 1994. Depuis, elle a beaucoup voyagé pour s'adonner à sa passion.

[Page 128 & 234] – Rire communicatif entre trois amies du village de Mgahinga, en Ouganda.

Canon EOS 1N, 28–135 mm, Kodak E100S/135, Exp. f5.6-1/125

Guus Rijven

Pays-Bas

Guus Rijven a étudié l'architecture et le graphisme dans son pays natal. Aujourd'hui photographe et designer indépendant, il est exposé à New York, Jakarta, Tokyo et Vancouver ainsi qu'aux Pays-Bas. Guus enseigne à l'Académie Royale des Beaux-Arts de La Haye.

[Page 23] – Vacances rurales à la La Romagne, France : température voisine de zéro, poêle à bois insatiable et juste assez d'eau chaude pour remplir l'évier de la cuisine. Jarón, 4 mois, semble tout content qu'on fasse sa toilette au milieu des casseroles et des pots.

Rolleiflex 3.5, 75 mm, Kodak Tri-X/120, Exp. non communiquée

[Page 121] – Par delà le fossé des générations à Brummen, aux Pays-Bas. Rien n'empêchera ce grand-père et son unique petit-fils de jouer ensemble, pas même leur quatre-vingt un ans de différence. C'est Jarón, 2 ans, qui a choisi le jeu.

Contax 91, 28 mm, Kodak Tri-X, Exp. non communiquée

Simon Roberts

Royaume-Uni

Photographe londonien, Simon Roberts est représenté par l'agence Growbag de talents créatifs. Ses travaux ont paru dans des magazines, notamment *Life*, le *Sunday Times* et *Stern*. Il a été entre autres désigné Jeune photographe de l'année au concours Ian Parry sponsorisé par le *Sunday Times* de Londres.

[Page 174] – Retraite active – ces trois « oiseaux de neige » américains ont migré vers les États du Sud, à la température plus clémente. Membres d'un groupe de nudistes, ils se réunissent pour jouer et apprécier soleil et liberté dans le désert de l'Arizona.

Bronica ETSRI, 85 mm, Ilford FP4 Plus/120, Exp. f8-1/250

Marc Rochette

Canada

Marc Rochette exerce depuis vingt ans le métier de photographe dans plusieurs domaines : documentaire, éditorial, commercial ainsi que celui de la photo de mariage. Il a débuté comme indépendant puis a été engagé par un hebdomadaire. Il vit à Toronto où il est à nouveau indépendant.

[Page 299] – Un regard d'amour et d'encouragement adressé par un père à sa fille. Si l'équipe de football où joue Erica, 6 ans, n'est pas souvent victorieuse, son père est toujours là pour l'encourager.

Nikon F90X, 2.8/80–200 mm, Kodak T-max 400/135, Exp. f5.6

Martin Rosenthal

Argentine

Martin Rosenthal a étudié la photographie à l'École du Musée des Beaux-Arts de Boston, États-Unis. Photographe à plein temps depuis 1992, il est installé en Argentine mais voyage pour son métier à travers toute l'Amérique latine.

[Pages 38 & 39] – Les yeux de l'adoration - Concentration maximale de ces enfants, à Juanchaco, Colombie. Chacun d'entre eux veut être le premier à attraper la plume lancée par leur père.

non communiquée

Nicholas Ross

Royaume-Uni

Nicholas Ross est ingénieur dans la prospection minière. Photographe amateur, il emporte toujours son appareil photo lors de ses déplacements dans le monde entier.

[Page 225] – Large sourire – l'amitié de cette jeune Indienne de 12 ans et de Mala, sa compagne aveugle, s'épanouit sur un trottoir poussiéreux des bidonvilles de Bombay.

Rolleiflex 6008, 75 mm, Kodak/120, Exp. f5.6-1/125

Deborah Roundtree

États-Unis

Ancien membre de la faculté de design de Pasadena et de l'Académie des Beaux-Arts de San Francisco, en Californie, Deborah Roundtree a présidé l'agence Advertising Photographers of America National et assuré diverses campagnes pour des agences publicitaires. Les photos de Deborah sont présentées dans la collection permanente de la bibliothèque du Congrès, aux États-Unis, et dans diverses collections privées.

[Page 103] – Surprise partie - Une grand-mère enchantée fête ses 85 ans au milieu de ses petits-enfants à Yakima, dans l'État de Washington, aux États-Unis.

Non communiquée

Janice Rubin

États-Unis

Janice Rubin est photographe au Texas. Depuis 1976, ses travaux ont été publiés aux États-Unis et en Europe, notamment par *Newsweek, Fortune, Rolling Stone* et le *New York Times*. Elle a exposé au Canada, aux États-Unis et aux Pays-Bas, et certaines de ses œuvres figurent dans la collection permanente du musée des Beaux-Arts de Houston.

[Page 142] – Sourires d'encouragement – ces deux petites danseuses de 6 ans, Natasha et Mitalee, s'encouragent mutuellement du regard avant de se présenter au public nombreux du Festival international de Houston.

Canon F1, 85 mm, Fuji RDP/135, Exp. non communiquée

Lydia Linda Ruscitto

Italie

Née à New York, Lydia Linda Ruscitto vit à présent à Anguillara Sabazia, en Italie. Elle est diplômée de littérature allemande, mais s'intéresse aussi à la géologie et à la biologie. Ces thèmes scientifiques font notamment l'objet des travaux photographiques qu'elle réalise pour l'agence italienne Homoambiens.

[Page 308] – Nez à nez – Alessandro et sa sœur Martina, qui vivent à Trente, en Italie, font les fous devant l'objectif.

Nikon F801, 90 mm, Fuji/135, Exp. f8

Mike Ryan

États-Unis

Né en Californie, Mike Ryan a servi dans l'US Peace Corps (organisation de volontaires pour l'aide aux pays en voie de développement, NdT) dans les années 1960. Passionné de photo, il a installé à la même époque une chambre noire pour pratiquer son art dans un atoll isolé des îles Marshall. En 1968, parcourant l'Asie du Sud-Est, il a constitué un portfolio qui l'a lancé dans la photo professionnelle. Il réalise aujourd'hui des natures mortes pour la publicité ainsi que des photos d'art dans le Massachusetts.

[Page 184] – Aux îles Marshall, dans le Pacifique, deux tout-petits serrés l'un contre l'autre regardent d'autres enfants lors d'une fête.

Nikon F, 50 mm, Kodak/135, Exp. non communiquée

Ivo Saglietti

Italie

Ivo Saglietti est installé à Milan, en Italie. Reporter photographe depuis 1978, il a travaillé sur l'actualité en Amérique latine, en Afrique et au Moyen-Orient pour divers journaux italiens et internationaux.

[Page 324] – Marque de douceur - Un médecin cubain réconforte une jeune victime de Tchernobyl d'un baiser compatissant. Certains enfants de la région d'Ukraine où s'est déroulée la catastrophe nucléaire sont soignés dans les hôpitaux de Cuba.

Canon Reflex F1, 24 mm, Kodak Tri-X/135, Exp. f2-1/15

Sefton Samuels

Royaume-Uni

Sefton Samuels a été technologiste du textile et, passionné de photographie, il est entré à la Royal Photographic Society. Quand l'industrie textile s'est effondrée, il est devenu photographe. indépendant à plein temps, travaillant pour la BBC, ITN et Granada, tout en constituant sa photothèque parsonnelle.

[Page 28] – Au cours d'une séance de photos de famille à Altrincham, dans le Cheshire, Philip, 1 an, ne semble pas impressionné par la conduite de sa grande sœur Alice.

Rolleicord VA, 75 mm, Ilford HP4/120, Exp. f5.6-1/60

Seifollah Samadian Ahangar

Iran

Titulaire d'un diplôme supérieur de traduction anglaise, Seifollah Samadian Ahangar a débuté dans la photographie en 1970. Il enseigne actuellement le photojournalisme à l'université de Téhéran, tout en étant directeur et rédacteur en chef de Tassuir, revue mensuelle d'arts visuels. Ses photos ont été exposées en France, en Suisse et au musée d'Art contemporain de Téhéran.

[Page 211] – Portrait d'une amitié – à Grumieh, Acadollah et Mohammed ont pris pour cette photo la pose traditionnelle et historique des athlètes iraniens.

Nikon Nikormat, 24 mm, Kodak/135, Exp. f8-1/60

Gundula Schulze-Eldowy

Allemagne

Née en Allemagne de l'Est, Gundula Schulze-Eldowy a étudié la photographie à Leipzig. Photographe indépendante depuis 1985, elle a vécu en Allemagne, en Égypte et aux États-Unis. Ses travaux ont été exposés en Europe, en Asie et en Amérique. Certaines de ses photos ont été acquises par le Musée d'Art Moderne de New York et la Bibliothèque Nationale de Paris, en France.

[Page 258] – Gundula Schulze-Eldowy ne peut s'empêcher de rire sous les chatouilles de son ami Stephen. L'appareil a été réglé en pose automatique pour fixer cet autoportrait spontané réalisé dans un parc proche du domicile de la photographe, à Berlin.

Nikon FE, 50 mm, Orwo-NP 20/135, Exp. non communiquée

Josef Sekal

République tchèque

Josef Sekal vit à Prague, en République tchèque, et pratique la photographie depuis près de cinquante ans. Il est devenu professionnel indépendant en 1970 après avoir remporté le concours international Phototechnik de Munich, en Allemagne. Depuis, ses photos d'architecture et de paysages ont été publiées dans des ouvrages, sous forme de calendriers et de cartes postales. Aujourd'hui retraité, Josef poursuit ses voyages à travers le monde en quête de nouvelles photos.

[Page 339] – Activité de plein air - Pour changer du canapé de son salon, ce couple âgé a choisi un banc situé dans un parc de Prague, pour rouler ses pelotes de laine.

Linhof Super Technika IV, 95 mm, Agfachrome/4"x5", Exp. f8-1/30

Neil Selkirk
États-Unis

Né en Angleterre, Neil Selkirk s'est établi aux États-Unis où il a appris la photographie auprès de Diane Arbus. Après la mort de celle-ci, il a recherché ses œuvres, dont il a refait des tirages pour une importante rétrospective au musée d'Art moderne. Ses travaux ont paru dans les grands magazines américains, notamment *Esquire, Vogue, Vanity Fair* et le *New Yorker.* Il a également collaboré à de nouvelles publications comme *Wired* et *The Movies.*

[Page 71] – Ouvre grand ! Au cours d'une promenade sur la plage à Wellfleet, dans le Massachusetts, rien n'intéresse davantage Zane que sa mère.

Rolleiflex 2.8, 80 mm, Agfapan 100/120, Exp. non communiquée

Aranya Sen
Inde

Aranya Sen est né à Calcutta, en Inde. Après des études de journalisme, il a travaillé comme photographe de presse indépendant pour de nombreux journaux différents, le magazine *Soviet Land* et l'agence russe Novosti. Actuellement Aranya travaille pour *Kalantar*, un journal de Calcutta.

[Pages 226 & 227] – Une main tendue – de sa petite main, Babloo, un gamin des rues de 6 ans, aide trois amis aveugles à traverser la chaussée pour rejoindre leur école, à Calcutta, en Inde.

Nikon 801S, 80–200 mm, Nova/135, Exp. f11.5-1/125

Pisit Senanunsakul
Thaïlande

Photographe professionnel en Thaïlande, Pisit Senanunsakul dirige un studio spécialisé dans la photo de mariage, le portrait individuel et les services photographiques.

[Page 137] – À Chiang Rai, deux amis se racontent des histoires drôles tout en accomplissant leur travail quotidien, qui consiste à faire sécher une plante de la région pour fabriquer des balais.

Canon EOS 1, 70–200 mm, Fuji ISO 50/135, Exp. f8

Ricardo Serpa
Brésil

Ricardo Serpa travaillait comme cadre dans l'exportation et voyageait à travers l'Amérique Latine avant de changer de métier. Devenu photographe, il a débuté dans un journal de Rio de Janeiro auquel il collabore à présent en indépendant.

[Page 320] – Dans la circulation trépidante des rues de Rio de Janeiro, un sans-abri dort paisiblement sous la protection d'un ami.

Nikon FM2, 85 mm, Kodak Tri-X/135, Exp. non communiquée

Russell Shakespeare
Australie

Russell Shakespeare a fait des études de photographie au Queensland College of Art de Brisbane. Il est actuellement photographe à l'*Australian Magazine.* Il a remporté deux prix pour des travaux réalisés pour les médias australiens : en 1995, le prix de la Photo de l'année (catégorie actualités) au concours Nikon de photo de presse, et en 1996 le prix Walkley de la meilleur photo d'actualités.

[Page 65] – À Manly, en Nouvelle-Galles du Sud, en Australie, Camille, 5 mois, a trouvé un public attentif : sa mère, Toni, et ses grands-parents en visite, Margaret et Handley.

Leica M6, 28 mm, Kodak T-max/135, Exp. f4-1/15

Cheryl Shoji
Canada

La Canadienne Cheryl Shoji est née à Toronto. Diplômée de l'Université York de sa ville natale, elle a entamé sa carrière de photographe au Canadian Magazine puis a travaillé pour quantité d'autres publications. Actuellement, elle est responsable du service photo au Vancouver Sun.

[Page 112] – À Burnaby, en Colombie-Britannique, Dorothy apaise son premier petit-fils, dont elle est très fière. Le bébé se plaint de sa couche humide.

Canon AE1, Kodak/135, Exp. non communiquée

Yew Fatt Siew
Malaisie

Yew Fatt Siew, de Kuala Lumpur, est passionné de photographie depuis l'école. Homme d'affaires en semi-retraite, il s'occupe à présent de l'amélioration de l'habitat dans toute l'Asie. Cette activité lui permet de photographier pendant son temps libre les habitants et les sites des pays qu'il visite.

[Pages 282 & 283] – Fête bouddhiste à la lamaserie de Labuleng à Gansu, en Chine – par une température inférieure à 0°, une mère tibétaine serre son enfant contre elle, lui offrant chaleur et protection.

Nikon F4S, 4.5/70–300 mm, Fuji RVP/135, Exp. f8-1/125

Steven Siewert
Australia

Photographe au *Sydney Morning Herald*, en Australie, Steven Siewert a couvert l'actualité dans diverses régions du monde, notamment au Rwanda, en Indonésie et en Papouasie-Nouvelle-Guinée. Il a remporté le prix du documentaire Leica en Australie, le prix de la photographie de presse d'Australie et le prix de la Photo de l'Année.

[Pages 30 & 31] – Frère et sœur aborigènes qui ne peuvent s'empêcher de sourire tandis qu'on les photographie dans le Queensland, en Australie.

Nikon F90X, Macro 55 mm, Ilford XP2/135, Exp. f8-1/500

John Siu
Australie

John Siu dispose de plus de quarante ans d'expérience en photographie. Installé à Killara, en Nouvelle-Galles du Sud, Australie, il est spécialisé dans les portraits souvenirs individuels ou de groupe pour les touristes. John est président de la Société Chinoise de Photographie d'Australie et membre de la Société Australienne de Photographie de Hong Kong.

[Page 316] – Dans une rue du nord du Vietnam, l'heureuse exubérance d'un jeune enfant et le sourire chaleureux et patient de sa grand-mère illustrent les liens affectifs qui unissent les générations.

Leica R8, 28–70 mm, Fuji/135, Exp. 1/200

Les Slesnick
États-Unis

Diplômé en pharmacie en 1965, Les Slesnick a obtenu une maîtrise de photographie à la faculté d'Art et de Design de Savannah (Géorgie) en 1993. Depuis 1974, il expose ses photos d'art et enseigne le développement couleur à l'École d'Art Crealde de Floride. Plus récemment, il est devenu maître auxiliaire de photographie à l'Université de Floride du Centre.

LAURÉAT DE LA CATÉGORIE « FAMILLE »ET
DU GRAND PRIX DU CONCOURS M.I.L.K.

[Pages 80 & 81] – Portraits personnels - L'essence d'un foyer, son mobilier et ses petits souvenirs en disent long sur la vie du maître des lieux. Cette série de photos prises au Mexique, qui fait partie de la collection « *Private Spaces* », exalte les petits détails et la beauté simple d'un intérieur.

Canon A1, 24 mm, Kodak/135, Exp. f8

Christopher Smith
États-Unis

Christopher Smith est né à Atlanta, en GeorgieIl a débuté en1986 en photographiant des rafters dans le Maine et a poursuivi ses études à l'Atelier photographique du Maine. Puis il s'est établi en Caroline du Nord où il est photographe indépendant depuis 1991.

[Page 96] – L'âge n'est pas un obstacle au plaisir d'une danse lors de ce mariage célébré en Caroline du Nord, Pamela, la jeune mariée, montre les pas à son oncle Mac tandis que ses parents donnent l'exemple.

Nikon F5, 2.8/35–70 mm, Fuji NPH/135, Exp. f5.6-1/125

Steven G Smith
États-Unis

Steven G. Smith est photographe professionnel depuis plus de quinze ans. Il a travaillé pour divers journaux des États-Unis et vit actuellement au Nouveau-Mexique.

[Page 343] – Échange de sourires – Nellie et Violette, amies de longue date sont d'humeur joyeuse dans leur maison de retraite de l'Ohio.

Canon EOS 1, 24 mm, Kodak/135, Exp. f4-1/60

Evžen Sobek
République Tchèque

Evzen Sobek a obtenu un diplôme d'ingénierie médicale à Brno, puis une maîtrise à l'Institut de photographie créative de la ville d'Opava. Il est enseignant et photographe à Brno depuis 1995.

[Page 263] – Dimanche de farniente chez des Tziganes de Brno, en République tchèque – Tibor et Tomá – rattrapent leur retard de sommeil et de lecture du journal.

Canon F1, 28 mm, Foma/135, Exp. f4-1/15

Antony Soicher
Afrique du Sud

Originaire de Johannesburg, le Sud-Africain Antony Soicher a étudié la photographie au lycée. Ses travaux, essentiellement consacrés au documentaire et à la vie de la rue, s'attachent aux thèmes de l'intimité et de l'humour. Il a publié quatre ouvrages de photographie en édition limitée sur ces sujets.

[Page 221] – Flagrant délit – jeunes fumeurs regroupés dans un coin d'un parc de Johannesburg, en Afrique du Sud, pour savourer une cigarette en cachette.

Leica M3, 50 mm, Kodak T-max 400/135, Exp. non communiquée

Linda Sole
Royaume-Uni

Linda Sole, établie près de Londres, est photographe indépendante spécialisée dans le reportage. Ses travaux ont été publiés dans diverses revues. En 1993, elle est arrivée en tête au concours de Channel 4 et à celui de « Big City », organisé par l'*Evening Standard*, et, en 1997, elle a remporté un prix de l'Image Bank Campaign. Elle est membre de l'Independant Photography Project.

[Pages 16 & 17] – Quand sa fille Judith a été enceinte, Linda Sole a trouvé la matière d'un nouveau projet. Judith se délasse dans son bain par une chaude journée d'été à Woolwich, à Londres.

non communiquée

Kailash Soni
Inde

Photographe né en Inde, Kailash Soni a publié ses photos dans divers journaux et magazines de son pays. Lauréat du prix d'Amérique des 10 meilleurs photographes mondiaux en 1995, il a aussi obtenu le premier prix du Salon de photographie PAI All India en 1998.

[Page 200] – La conversation s'engage facilement entre ces deux amis qui se détendent devant le temple de Shiva de Bilawal, au Dewas, en Inde.

Nikon FM2, f1.7, Pro Kodak/135, Exp. f8-1/125

Tino Soriano
Espagne

Tino Soriano travaille comme photographe indépendant à Barcelone, en Espagne. Ses photos ont été publiées dans les magazines du monde entier, notamment dans *Paris Match, Der Spiegel* et le *National Geographic.* Tino a remporté de nombreux prix, dont le Fotopres espagnol, à cinq reprises, pour la meilleure photo de presse de l'année. En 1999, il a remporté le premier prix du World Press dans la catégorie « Art ».

[Page 249] – La pluie retarde le début du carnaval de Barahona, en République dominicaine. Un jeune couple échange un regard amoureux en attendant que les festivités commencent.

Leica M6, 2.8/35 mm, Kodak T-max 400/135, Exp. f5.6-1/250

Fredé Spencer
Danemark

Né au Danemark, Fredé Spencer a fait des études de photographie à l'université de Nottingham Trent, en Angleterre. Au cours de sa dernière année d'études, il s'est orienté vers la photo subaquatique et il fait carrière dans cette spécialité

[Page 48] – Bébé nageur : nager sous l'eau est tout à fait naturel pour le petit Louis. Il suit sa mère Dimitri un cours de « bébé nageur » à Londres, en Angleterre

Nikon 6006, 28 mm, Kodak GPX 160/135, Exp. f8-1/125

Harvey Stein
États-Unis

Les travaux de Harvey Stein ont été montrés dans plus de cinquante expositions individuelles et quatre-vingt dix expositions collectives, tant aux États-Unis qu'en Europe. Ces photographies figurent également dans trente-cinq collections publiques et privées, et ont fait l'objet de publications dans trois ouvrages ainsi que dans *Time, Life,* le *New York Times* et *Der Spiegel.* Harvey Stein enseigne actuellement la photographie à l'Université de Drew dans le New Jersey, au Centre International de photographie et à la New School for Social Research de New York.

[Page 253] – Dans leur univers – ce couple d'amoureux de Florence, en Italie, s'embrasse sans s'occuper des passants.

Leica M4, 21 mm, Kodak Plus-X/135, Exp. f8-1/125

Petra Stepan
République Tchèque

Née à Brno, Petra Stepan a obtenu en 1999 un diplôme supérieur d'art à l'Académie FAMU de Prague. Une bourse lui a permis de poursuivre ses études à l'Académie des beaux-arts de Milan. Ses œuvres ont été exposées en République tchèque et dans d'autres pays d'Europe.

[Page 66 & 67] – Ressemblances dans la famille Vancura, de Valasske Mezerici, en République tchèque. Ces photos présentent Tatiana et Hynek avec leurs six enfants : Terezie, Jan, Barbora, Johana, Adela et Klara, nés entre 1991 et 1997, tous par césarienne. Elles témoignent de l'homogénéité de physionomie de la famille. Depuis la réalisation de cette série les Vancura ont eu un septième enfant, Sara.

Asahi Pentax 6x7, Takumar 1:4/200 mm, Ilford Pan 100/120, Exp. f22

Serena Stevenson
Nouvelle-Zélande

Serena Stevenson a fait des études de photographie en Nouvelle-Zélande à l'école de design Unitech. Elle a ensuite été assistante pendant trois ans avant de s'établir comme photographe indépendante. Photographiant surtout des personnes, elle travaille actuellement pour de nombreux magazines et agences publicitaires.

[Pages 196 & 197] – Main dans la main – deux amis sur les pavés de Göreme, village de Cappadoce, en Turquie.

Nikon 28 TI, 28 mm, Optimia 400/135, Exp. non communiquée

Milo Stewart Jr
États-Unis

Vivant à New York, Milo Stewart Jr. est un photographe professionnel de la deuxième génération. Il s'est révélé doué pour la photographie dès l'âge de 10 ans et a exposé dans plusieurs galeries locales. Actuellement, il est photographe en chef du National Baseball Hall of Fame and Museum de Cooperstown, à New York.

[Page 281] – À Cooperstown, Leslie, jeune maman, est ravie de son petit Barton.

Rolleiflex TLR, 75 mm, Kodak Tri-X/135, Exp. f5.6-1/15

Maňo Štrauch
République slovaque

Originaire de Slovaquie, Mano Strauch a fait des études supérieures d'économie avant de se lancer dans une carrière de photographe indépendant dans son pays et aux États-Unis. Il vit aujourd'hui à Bratislava et travaille pour des journaux, des revues et plusieurs associations humanitaires. Il a remporté le prix tchèque de photographie de presse en 1998 et 1999.

[Page 293] – Devant une église franciscaine en République slovaque, un couple de sans-abri échange un baiser. Ils espèrent recevoir quelques aumônes à la sortie de la messe. Ivanko, leur bébé de trois mois, né dans un sous-sol des environs, bâille d'ennui.

Jindřich Štreit
République Tchèque

Né à Vsetin, en République tchèque, Jindřich Štreit a étudié l'enseignement de l'art à l'Université Palacký d'Olomouc. En 1982, il a participé à une exposition clandestine d'art alternatif qui lui a valu d'être arrêté par la police secrète et de se faire confisquer son matériel de photo. Il n'a pu reprendre ses activités artistiques qu'après la Révolution de Velours de 1989. Aujourd'hui, il travaille comme photographe indépendant à Brno. Par ailleurs, il enseigne la photographie à l'École du cinéma FAMU de Prague et à l'Université silésienne d'Opava, en République tchèque.

[Page 248] – Tentative de séduction dans le petit village russe de Kižinga, dans le sud de la Sibérie.

Nikon FM2, 28 mm, Kodak T-max 400/135, Exp. f5.6-1/125

Guy Stubbs
Afrique du Sud

Après une formation de cinq ans en Afrique du Sud, Guy Stubbs jouit aujourd'hui d'une réputation internationale. Il réalise une grande partie de son travail en Afrique du Sud, où il se consacre aux espoirs et aux attentes de ses compatriotes. Il s'est également rendu en Inde pour photographier les projets hydrauliques et sanitaires des régions les plus démunies.

[Page 154] – Des visages inconnus – ces jeunes Bothos sont fascinés par Joshua, 16 mois, car il est le premier enfant blanc qu'ils aient jamais vu dans leur village de Bokong, dans les montagnes du Lesotho.

Nikon F4, 75–300 mm, Kodak T-max/135, Exp. non communiquée

Venkata Sunder Rao Pampana (Sunder)

Inde

Sunder est né à Guntur dans la province d'Andhra Pradesh, en Inde. Il a débuté dans la photographie comme technicien de laboratoire puis a ouvert un studio à Vijayawada. Il participe activement à des concours depuis 1988 et a remporté de nombreux prix dans son pays.

[Page 280] – Une note de tendresse – une fillette veille sur sa petite sœur endormie dans un hamac fait d'un sari de leur mère. La famille, qui n'a pas de maison, vit dans les rues de Vijayawada..

Nikon Nikkormat, Nikor 1.4/50 mm, Kodak Gold/135, Exp. f5.6-1/125

Joan Sullivan

Canada

Fille d'un photographe, Joan Sullivan a été nutritionniste pendant dix ans avant de se consacrer à plein temps à la photographie. Elle vit à Québec, mais effectue de fréquents voyages aux quatre coins du monde.

[Page 200] – Le babysitter – dans les contreforts de l'Himalaya, un grand-père népalais surveille ses deux petits-enfants tandis qu'un jeune porteur lui donne des nouvelles de Katmandou.

Nikon FM, 35–105 mm, Kodachrome 64/135, Exp. f8-1/125

Noelle Tan

États-Unis

Originaire de Manille, dans les Philippines, Noelle Tan a suivi sa famille aux États-Unis, et a fait des études de photographie à l'université de New York. Elle a ensuite travaillé au musée d'Art moderne de cette ville puis a dirigé une entreprise de photographie. Ses travaux ont été exposés aux États-Unis.

[Page 162] – À l'enthousiasme de Bonnie répond le sourire ravi de son amie Nancy, à Washington.

Nikon F3 HP, 35 mm, Kodak/135, Exp. non communiquée

Sam Tanner

Royaume-Uni

Sam Tanner était sculpteur avant de se lancer, il y a douze ans, dans la carrière de photographe professionnel. Il se consacre principalement au documentaire, sur la santé publique, les soins aux personnes âgées et la vie de la communauté juive des quartiers est de Londres. En 1999, il a remporté le premier prix catégorie professionnelle du concours de l'*Independant* on *Sunday*

[Page 334] – Étreinte pleine de joie et de rires lors du 56e anniversaire de mariage de ce couple de Juifs, Dave, 89 ans, et Renee, 82 ans, dans un quartier est de la capitale anglaise.

Leica M6, 35 mm, Kodak/135, Exp. f5.6-1/30

Edmond Terakopian

Royaume-Uni

Edmond Terakopian est photographe de presse depuis plus de dix ans. Il est actuellement attaché au *Harrow Observer* et travaille en indépendant pour le journal *Guardian* et le magazine *Time Out*. Il est également correspondant des agences GAMMA en France, et Apeiron en Grèce.

[Page 65] – Une famille est réunie. De retour de la guerre du Golfe, John, sergent de la British Royal Air Force, retrouve sa femme Sharon et leur petit garçon de 2 ans, Phillip. Ils sont photographiés au cours d'une coférence de presse à Stanmore, dans le Middlesex.

Canon F1N, 85 mm, Kodak/135, Exp. non communiquée

Peter Thomann

Allemagne

Né à Berlin, Peter Thomann a fait ses études à l'école de graphisme Folkwang. Photographe au *Stern* depuis 1968, il a remporté plusieurs prix dont le World Press Photo Award en 1963, 1964 et 1982. Son album de photgraphie de *chevaux en noir et blanc* lui a valu le Kodak Photo Book Award en 1993.

[Pages 118 & 119] – Agé de 2 ans, Julian en visite dans la maison de ses grand-parents, à Emmendingen, en Allemagne, est fasciné par la fumée du cigare de son grand-père, Ernst.

Nikon F3, 35 mm, Kodak Tri-X/135, Exp. 1/30

Tran Cong Thanh

Vietnam

Né au Vietnam, Tran Cong Thanh est photographe professionnel depuis 1983. Il est membre de l'Association d'art photographique du Vietnam et a remporté en 1999 le deuxième prix d'un concours de photos d'environnement dans la province de Binh Thuan.

[Page 153] – De bonnes voisines – ces trois Vietnamiennes, dont l'amitié remonte à plus de cinquante ans, se rendent mutuellement visite dans leur village de montagne de la province de Binh Thuan.

Nikon Nikkormat, 28–70 mm, Kodak Gold/135, Exp. f8

Hank Willis Thomas

États-Unis

Hank Willis Thomas est photographe professionnel à Washington. Son intérêt pour la photographie a été nourri par les recherches que sa mère a effectuées sur l'histoire des photographes noirs américains. Il a fait des études de photographie et d'africanisme à l'université de New York et ses travaux ont été exposés à New York et à Washington.

[Page 211] – Trois amies forment une image dans l'image au cours d'une Million Women March à Philadelphie.

Pentax 6x7, 75 mm, Fuji NPH/120, Exp. non communiquée

Marianne Thomas

États-Unis

Marianne Thomas a fait des études de journalisme à l'université de Syracuse aux États-Unis, et de photographie au Daytona Beach Community College. Après avoir séjourné au Venezuela dans les Peace Corps, elle a travaillé comme reporter, photographe et rédactrice photo dans différentes publications. Depuis 1992, elle est rédactrice photo au *San Francisco Chronicle*.

[Page 198] – Compagnons proches – William Bossidy prête une oreille attentive à son ami John Noonan. Ils résident tous deux dans la même maison de retraite en Floride.

Nikon, Kodak Tri-X/135, Exp. non communiquée

[Page 219] – John David Bethel donne une tape amicale à Eric Hinze, son « petit pote ». Les deux garçons sont atteint de spina-bifida, maladie de la colonne vertébrale. Ils jouent tandis que leurs parents assistent à la réunion d'un groupe de soutien en Floride.

Nikon, Kodak Tri-X/135, Exp. non communiquée

Sam Devine Tischler

États-Unis

Sam Devine Tischler a grandi à Santa Fe, au Nouveau-Mexique, puis est allé à Seattle faire des études de photographie commerciale à l'Institut d'Art de cette ville. Son diplôme obtenu, il est revenu dans sa ville natale où il poursuit une carrière de photographe professionnel.

[Page 330] – Le photographe a fixé ce moment affectueux de ses grands-parents, Max, 86 ans, et Ann, 80 ans, à New Port Richie, en Floride.

Nikon F3, 100 mm, Kodak/135, Exp. f8-1/125

Chirasak Tolertmongkol ("G")

Thailand

Chirasak Tolertmongkol connu dans la profession sous le simple pseudonyme de « G », est membre de la Société Photographique de Bangkok. Il a reçu de nombreuses distinctions nationales et internationales, notamment la nomination de « Citoyen Honorable » de la République de Chine, et le grand prix du concours « Oiseaux thaôis ».

[Pages 100 & 101] – Le soleil se couche sur Chiang Rai, village tribal dans les collines du nord de la Thaïlande. Tandis que les adultes se rassemblent sur la place centrale, les enfants ont élus la grand-rue comme terrain de jeu.

Canon EOS 1N, 20–70 mm, Fuji Velvia/135, Exp. f8-1/30

Gordon Trice

États-Unis

Gordon Trice s'est intéressé à la photographie d'abord dans un journal, puis comme photographe dans l'aviation. Depuis ses débuts, il a abordé la plupart des domaines de la photo. À présent photographe indépendant pour des institutions et des publicitaires, il travaille en extérieur ou dans son studio.

[Page 58] – Heath tient dans ses bras sa fille Berenice, agée de 6 mois. Ce portrait de famille a été réalisé à Abilene, au Texas.

Fuji 680, 210 mm, Kodak/120, Exp. f16-1/250

Luca Trovato

États-Unis

Luca Trovato est né à Alessandria, en Italie. Après ses études secondaires au Venezuela, il est parti s'installer en Californie pour étudier la photographie à Santa Barbara. Aujourd'hui photographe indépendant, il vit à New York.

[Page 77] – Le désert de Gobi, en Mongolie : en panne avec toutes ses affaires, une famille nomade prend son mal en patience en attendant de l'aide.

Pentax 6x7, 2.8/90 mm, Fuji 160 NPS/120, Exp. f5.6-1/60

Natassa Tselepoglou

Grèce

Née en Grèce, Natassa Tselepoglou a travaillé en Italie comme styliste de mode, puis, de retour dans son pays, elle a suivi des stages de photographies. Aujourd'hui photographe indépendante, elle a présenté ses travaux dans trois expositions individuelles.

[Page 65] – Vie familiale à Halkidiki, en Grèce : Lia, 3 ans, et sa mère, Daphne, ont trouvé la position idéale pour lire ensemble un conte de fées.

Canon F1, 3.5/35–105 ED, Kodak T-max 400/135, Exp. f11-1/125

Lambro (Tsiliyiannis)

Afrique du Sud

Lambro est photographe indépendant. Ses travaux pour des catalogues de voyages, pour la mode et pour des campagnes publicitaires l'ont mené dans plus de vingt-sept pays.

[Page 84] – Le petit Robert, âgé de 2 ans, dit bonjour à son grand-père, Christy, 85 ans, au Cap.

Canon EOS 3, 17–35 mm, Kodak T400 CN/135, Exp. f2.8/4-1/60

Dô Ãnh Tuâñ

Vietnam

Photographe depuis 1991, Dô Anh Tuâ est également peintre et musicien. Il est membre de l'Association de photographie artistique de Hanoi et de l'Association de photographie.

[Page 114] – Une grand-mère et ses petits-enfants : la famille est réunie devant sa maison sur pilotis du haut plateau de Quang Nam, au Vietnam.

Nikon F3HP, 2.8/100 mm, Ilford HP5/135, Exp. f8-1/30

[Page 165] – Bras dessus, bras dessous – un sourire illumine le visage de ces trois vieilles amies réunies à l'occasion d'une fête dans la ville de Bac Ninh, au Vietnam.

Nikon F3 HP, 2.0/24 mm, Ilford Pan 400/135, Exp. f5.6-1/250

Quoc Tuan

Vietnam

Quoc Tuan, né à Saigon, est photographe depuis vingt ans. Il a remporté plusieurs prix internationaux, dont le Grand Prix Accu du Japon en 1999 et le deuxième prix d'Earth Vision au Japon en 2000.

[Page 113] – Un grand-père et une grand-mère, tous deux âgés de plus de 70 ans, émerveillés devant leur petit-fils âgé d'1 mois. Ils jouent avec l'enfant sous la véranda de leur maison à Ho Chi Minh-Ville, au Vietnam. Le petit est né le jour de l'anniversaire de leurs cinquante ans de mariage.

Nikon F70, 2.8/180 mm ED, Kodak T-max 400/135, Exp. f4-1/60

Charley Van Dugteren

Afrique du Sud

Vivant en Afrique du Sud, Charley Van Dugteren a obtenu un diplôme de photographie du Peninsula Technikon de la ville du Cap. Elle a travaillé comme assistante pendant ses études, puis, munie de son diplôme, est devenue photographe professionnelle, surtout auprès de magazines. Spécialisée dans le portrait, le voyage et la gastronomie, elle prépare actuellement un recueil de photos sur les vignobles d'Afrique du Sud.

[Page 199] – Deux amis se rapprochent pour s'entendre dans un bruyant « shebeen » (café) du Cap.

Nikon F3, 35 mm, Ilford Delta 400/135, Exp. f2.8-1/8

Peter Van Hoof

Belgique

Peter Van Hoof a étudié le cinéma et la photographie à l'Académie Royale des Beaux-Arts de Gand, en Belgique. Après avoir obtenu son diplôme, il a travaillé comme assistant développeur puis au service photo d'un journal avant d'entamer une carrière indépendante. Actuellement, Peter vit à Gand et travaille pour des magazines belges et néerlandais.

[Page 309] – Étreinte ensommeillée pleine d'amour et de tendresse entre deux petits Chiliens de l'île de Chiloe.

Nikon FM2, Kodak T-max 400/135, Exp. non communiquée

Shaun Van Steyn

États-Unis

Né en Angleterre, Shaun Van Steyn a fait des études à l'école d'art Corcoran de Washington, aux États-Unis. Ces travaux ont paru dans le *Washington Post*, *People*, *American Heritage* et *Time*.

[Page 43] – Dernier pas vers la maternité, saisis à Fairfax, en Virginie. Carol doit accoucher le lendemain, et Simon, 2 ans, attend le nouveau membre de la famille.

Nikon Nimormat, 50 mm, Kodak/135, Exp. f5.6-1/125

Wilfred Van Zyl

Afrique du Sud

Wilfred Van Zyl a étudié la photographie au Technikon de Port Elizabeth, en Afrique du Sud. Après avoir obtenu son diplôme, il a travaillé comme photographe professionnel pendant six ans. Aujourd'hui, Wilfred dirige sa propre société photographique à East London, en Afrique du Sud.

[Page 303] – Marcelle, 6 ans, s'accroche à son père, le photographe, qui la fait tournoyer dans les airs. Pour parfaire son effet, Wilfred Van Zyl a fixé l'appareil sur sa poitrine et utilisé le déclenchement automatique afin de saisir le sourire de sa fille ravie par le jeu. On distingue le reflet du photographe dans les yeux de la fillette.

Canon T90, 2.8/24 mm, Agfapan APX 100/135, Exp. f11-1/30

Ann Versaen

Belgique

Ann Versaen vit à Strombeek-Bever, en Belgique, où elle exerce le métier d'infirmière. Elle a étudié la photographie en cours du soir et certaines de ses photos sont aujourd'hui présentées lors d'expositions dans son pays natal.

[Page 185] – Deux jeunes amis dans les rues de la ville tibétaine de Xigazê.

Canon EOS 1000, 35–80 mm, Kodak Gold/135, Exp. non communiquée

Auke Vleer

Pays-Bas

Auke Vleer a terminé ses études à l'Académie d'arts visuels de St Joost, à Breda, en 1992. Il a travaillé quatre ans à New York, notamment pour le *New York Times*, *Marie Claire* et Island Records. Il est revenu à Amsterdam en 1998.

[Page 72] – Pol, 5 ans, et sa tante Letty en vacances à Baratier, en France. Tandis que la grand-mère admire le paysage du lac, leur chien préféré fait la sieste.

Graflex Crown graphic 4 x 5, 135 mm, Kodak Plus-X/4"x5", Exp. f11-1/30

[Page 73] – Quatre jeunes cousins, Pol, Joris, Dorus et Rik apprécient cette promenade sur la plage de Baratier, en France.

Graflex Crown graphic 4 x 5, 135 mm, Kodak Plus-X/4"x5", Exp. f11-1/30

Tong Wang

Chine

Originaire de la province du Jilin, Tong Wang vit aujourd'hui à Ping Ding Shan City, dans la provine du Henan. Il a débuté en 1989, et photographie depuis 1992 des sujets spécialisés. Ses travaux ont paru dans plusieurs magazines, notamment *Dili Zhishi* (Connaissances géographiques) et *Henan Huabao* (Portraits).

[Page 51] – Un homme tient son enfant endormi dans ses bras, tout en pédalant dans les rues Zhengzhou, en Chine.

Nikon F601, 28 mm, Kodak T-max 400/135, Exp. non communiquée

Katharina Westerik

Pays-Bas

Née en Allemagne, Katharina Westerik vit actuellement à Haarlem, aux Pays-Bas. Après des études de peinture et de kinésithérapie, elle a opté pour une carrière artistique. Après la naissance de sa fille, Katharina qui s'intéresse à la photographie depuis 1978, a concentré son activité sur le portrait.

[Page 312] – Cette photo prise à Ratheim, village du Braunschweig en Allemagne, témoigne de la relation particulière qui unit le petite Mayra, 2 ans, à Mutti, sa grand-mère âgée de 92 ans.

Minolta 7000AF, 2.8/55 mm, Kodak TMY/135, Exp. non communiquée

Frank White

États-Unis

Frank White, de Houston, est photographe professionnel et enseignant. Il a obtenu un diplôme du Rochester Institute of Technololgy de New York en 1977 et a ouvert un studio l'année suivante. Depuis 1982, il enseigne la photographie à l'école d'architecture de l'Université Rice, à Houston.

[Page 289] – À Houston, Jo-Anne fait un câlin à Ellen, sa fille de cinq ans. Elles sourient au photographe, leur mari ou père, Frank White.

Hasselblad ELX, 150 mm, Kodak T-max 100/120, Exp. non communiquée

Alison Williams

États-Unis

Alison Williams a obtenu une licence de beaux-arts à l'Institut de technologie de Rochester, aux États-Unis. Elle a ensuite coopéré au Mali dans le cadre des Peace Corps (organisation de volontaires pour l'aide aux pays en voie de développement, NdT), ce qui lui a permis de se livrer à la photo documentaire dans un milieu différent.

[Page 149] – Une amitié d'enfance s'achève dans les larmes – une jeune fille est emmenée au village de son fiancé, à 20 kilomètres de là. Les adieux avec ses amies sont particulièrement émouvants.

Nikon FM2, 24 mm, Kodak Tri-X/135, Exp. f11-1/60

David Williams
Royaume-Uni

David Williams est photographe d'exposition professionnel abordant une grande variété de domaines, du documentaire à l'art vidéo. Lauréat du prix « 150 ans de photographie » de BBC Scotland, il dirige actuellement le College of Arts d'Édimbourg.

[Page 123] – Face à face : à Newcastle, en Angleterre, première rencontre de David et de son filleul, Samuel, âgé de 1 mois.

Nikon FE, 55 mm, Kodak/135, Exp. f8

[Page 138] – Une tradition anglaise – des chaises longues alignées sur la jetée constituent un décor classique de vacances pour trois amis qui se reposent à Brighton, dans le sud de l'Angleterre.

Nikon FM, 28 mm, Kodak Tri-X/135, Exp. f11-1/250

Desmond Williams
Nouvelle-Zélande

Desmond Williams a travaillé pour des studios de son pays, ainsi qu'en Angleterre, en Australie et en Allemagne. Il est actuellement professeur de plongée et photographe sous-marin sur des bateaux de croisière en Papouasie-Nouvelle-Guinée et sur la Grande Barrière de corail, en Australie.

[Page 323] – Sur l'île solitaire de Darnley dans le détroit de Torres entre l'Australie et la Papouasie-Nouvelle-Guinée – le père Pilot, prêtre du village, devant son église.

Hasselblad ELX, Zeiss 40 mm, Kodak E100SW/120, Exp. f16-1/125

Greg Williams
Royaume-Uni

Greg Williams est reporter photographe à Londres, en Angleterre. Ses photos sont régulièrement publiées dans *Le Figaro*, *Time*, le *Stern* et le *Sunday Times*. Greg dirige l'agence de création photographique et artistique Growbag.

[Page 32] – Un frère et une sœur à Peterborough, en Angleterre. Jason, 9 ans, aide Georgina, 4 ans, à enfiler ses prothèses avant de sortir jouer. Georgina est une victime de la seconde génération de la thalidomide.

Leica M6, 35 mm, Fuji 800/135, Exp. f4-1/60

Terry Winn
Nouvelle-Zélande

Terry Winn exerce le métier de photographe depuis 1979 à Auckland, en Nouvelle-Zélande. Avec son épouse, il dirige un studio qui réalise des portraits, publie des livres, des calendriers et des cartes de vœux. Terry est membre de l'Institut des photographes professionnels de Nouvelle-Zélande.

[Page 228] – Le meilleur ami de l'homme – Jonathan, 9 ans, s'apprête à plonger dans l'eau, sur son lieu de baignade préféré, à Auckland, en Nouvelle-Zélande. Son chien ne tardera pas à le suivre.

Hasselblad CM, 150 mm, Kodak Plus-X/120, Exp. f8-1/125

Manfred Wirtz
Pays-Bas

Né en Allemagne, Manfred Wirtz vit aujourd'hui aux Pays-Bas, à Monickendam. Ses travaux, entièrement orientés vers le reportage et le documentaire, ont été exposés aux Pays-Bas, en Allemagne, en Belgique, au Luxembourg et en France. Il a reçu des mentions honorables du Fujifilm European Press Award et au concours de l'Association de photographes des Pays-Bas.

[Page 95] – Dans une région reculée de Roumanie, une future mariée se prépare, assistée de sa mère et de ses trois sœurs. La cérémonie symbolise son départ de la maison paternelle et le début d'une nouvelle vie avec son mari.

Contax AX, 35–135 mm, Fuji Superia 800/135, Exp. non communiquée

Jim Witmer
États-Unis

Photographe professionnel depuis dix huit ans, Jim Witmer est actuellement photographe de presse au *Dayton Daily News* dans Ohio. Ses travaux ont été publiés dans les magazines internationaux dont *Life*, *Time* et *Sports Illustrated.*

[Page 55] – Autoportrait du photographe avec son fils Adam, 1 an, dans leur maison de Troy, dans l'Ohio.

Nikon F4, 80–200 mm, Kodak/135, Exp. f8-1/250

[Page 90] – Une famille en prière dans une chambre d'hôpital à Cleveland, dans l'Ohio. Dwayne, à l'extrême droite, s'apprète à subir l'ablation d'un rein destiné à son cousin Calvin, le deuxième à partir de la gauche, dont la maladie nécessite une transplantation.

Nikon F4, 80–200 mm, Fuji 800/135, Exp. f2.8-1/125

Guan Cheong Wong
Malaisie

Guan Cheong Wong est depuis 1981 membre de la Société de photographie de Penang, en Malaysie. Il a participé à de nombreux concours nationaux et internationaux et a siégé au jury du Salon international de la photo de Penang.

[Page 49] – L'un devant, l'autre derrière : dans les montagnes de Cameron, en Malaysie, une mère porte ses enfants à la manière tradionnelle des Orang Asli.

Nikon F801, 1.8/85 mm, Fuji/135, Exp. f8-1/60

King Tuang Wong
Malaisie

King Tuang Wong est représentant de commerce au Sarawak, en Malaisie, et ses déplacements professionnels lui permettent de se livrer à la photo en amateur. Il est secrétaire de la Société photographique de Sibu, au Sarawak.

[Page 156] – À Ruman Bilar, en Malaisie, de jeunes amis passent une bonne soirée au bord de l'eau.

Nikon F90, 2.8/80–200 mm, Kodak/135, Exp. f4-1/250

LAURÉAT DE LA CATÉGORIE « AMITIÉ »
AU CONCOURS M.I.L.K.

Jia Lin Wu
Chine

Jia Lin Wu est né dans la province du Yunnan. Diplômé de l'Affiliated Middle School de l'Université du Yunnan en 1961, il a débuté huit ans plus tard comme photographe. Ses travaux ont depuis figuré dans plusieurs livres et expositions. Il a reçu en 1977 le prix *Mother Jones* de photographie documentaire.

[Page 50] – Mère et fille saisies par l'objectif à Butuo dans la province de Sichuan, en Chine.

Nikon, 35–70 mm, Kodak T-max/135, Exp. non communiquée

[Page 309] – Les liens familiaux se tissent dès le plus jeune âge pour ces deux enfants de Lancang, en Chine.

China Haiou, 58 mm, Fuji 100/135, Exp. non communiquée

Jane Wyles
Nouvelle-Zélande

Au cours de ses études de photographie à l'école polytechnique de Christchurch, en Nouvelle-Zélande, Jane Wyles s'est spécialisée dans le noir et blanc, et ses travaux s'orientent de préférence vers les relations humaines. Elle est à présent photographe indépendante à Christchurch.

[Page 301] – Rire contagieux dans une étreinte affectueuse de Drew et de James, le père et le fils, à Christcurch.

Nikon F90X, 50 mm, Kodak T400 CN/135, Exp. f5.6-1/125

Nigel Yates
Nouvelle-Zélande

Né à Bradford, en Angleterre, Nigel Yates a émigré en Nouvelle-Zélande avec sa famille. Il a entamé une carrière de photographe en 1976 dans un quotidien néo-zélandais, *Otago Daily Times*. Il a ensuite travaillé pour divers journaux et magazines, ainsi que pour le théâtre. Il a également publié un volume de photographies sur la vie à Dunedin, en Nouvelle-Zélande

[Page 340] – Sourire timide d'un vieux gentleman attendant un rendez-vous devant une bijouterie de Dublin, en Irlande.

Leica M2, 2/35 mm, Kodak Tri-X/135, Exp. f8-1/125

Simon Young
Nouvelle-Zélande

Simon Young est un photographe diplômé de l'Académie des Beaux-Arts Elam de Nouvelle-Zélande. Actuellement installé à Auckland, il travaille comme photographe indépendant pour les services de rédaction des magazines.

[Pages 274 & 275] – Dans un hôpital d'Auckland, en Nouvelle-Zélande, un nouveau-né agrippe de ses doigts minuscules l'auriculaire de sa mère. C'est le premier contact qui s'établit entre la mère et son fils prématuré âgé de quatre jours.

Nikon F90, 55 mm, Kodak T400 CN/135, Exp. non communiquée

Inspiré de l'exposition photographique des années 1950 devenue une référence « The family of man », MILK a récolté des images venues du monde entier avec pour objectif d'offrir des portraits de l'humanité dans ses moments d'intimité, de rire et de fraternité (littéralement Moments of Intimacy, Laughter and Kinship - MILK).Cette épopée a pris la forme d'un concours photographique - probalement le plus important et le plus ambitieux jamais organisé.
Doté d'une série de prix très attractifs et d'un président du jury aussi célèbre que Eliott Ewitt de l'agence Magnum, le concours MILK a attiré 17 000 photographes originaires de 164 pays.
300 photographies ont été choisies parmi les 40 000 envoyées pour figurer dans le fonds de la collection MILK.

Les photographies lauréates ont été publiées dans trois ouvrages intitulés *Famille (Family)*, *Amitié (Friendship)* et *Amour (Love)* au début de l'année 2001 et sont à présent diffusées dans huit langues et plus de vingt pays. La collection MILK constitue également la base d'une exposition itinérante qui fait le tour du monde.

La collection MILK offre des images inoubliables de la vie, de la fragilité des premiers instants à celle du dernier souffle. Ces photographies nous racontent l'universalité des liens qui unissent les familles et les amis.
Transcendant les frontières, la collection MILK révèle et célèbre ce qui est au cœur de l'humanité.

www.milkphotos.com

Nous tenons à remercier tout particulièrement les personnes, sociétés et organisations mentionnées ci-dessous dont l'aide nous a été précieuse pour mener à bien la réalisation du projet M.I.L.K. – Ruth Hamilton, Ruth-Anna Hobday, Claudia Hood, Nicola Henderson, Liz McRae, Brian Ross, Don Neely, Kai Brethouwer, Vicki Smith, Rebecca Swan, Bound to Last, Designworks, Image Centre Limited, Logan Brewer Production Design Limited, KPMG Legal, Lowe Lintas & Partners, Midas Printing Group Limited, MTA Arts for Transit, Print Management Consultants, Sauvage Design, Mary-Ann Lewis, Vibeke Brethouwer et Karen Pearson.

Nos remerciements vont également à David Bladock, Julika Batten, Anne Bayin, Sue Bidwill, Janet Blackwell, John Blackwell, Susanna Blackwell, Sandra Bloodworth, Soma Carroll, Mona Chen, Patrick Cox, Malcolm Edwards, Michael Fleck, Lisa Highton, Anne Hoy, C. K. Lau, Liz Meyers, James Mora, Paddianna Neely, Grant Nola, Ricardo Ordoñez, Kim Phuc, Chris Pitt, Tanya Robertson, Margaret Sinclair, Marlis Teubner, Nicki White.

Par ailleurs, nous remercions les éditeurs cités ci-dessous de nous avoir autorisés à reproduire certaines des citations présentes dans ces pages. S'il se trouvait certaines omissions malgré tous les efforts déployés pour retrouver les auteurs ou leurs ayants droit, nous serions reconnaissants aux intéressés de bien vouloir nous les signaler.

Chef du jury Elliott Erwitt, Direction artistique Lucy Richardson.
Imprimé sur les presses de Midas Printing International Limited, China.
Mise en pages pour l'édition française : Jad-Hersienne
Relecture : Christelle Chevallier

ISBN 2842775775
Dépôt légal : parution octobre 2004